THE PICTURE DICTIONARY OF INFORMATION TECHNOLOGY

IT

ゼロから理解する

テクノロジー図鑑

三津田治夫・監修　武田侑大・イラスト　岩崎美苗子・文

プレジデント社

はじめに

AIやディープラーニング、クラウド、フィンテックなど、世の中にはITやテクノロジーのキーワードがたくさん出てきています。日々キーワードは増えていくのに、それぞれ何を意味しているのか、どんなつながりがあるのかについて、漠然とした思いをお持ちの方も多いのではないでしょうか。

個人情報から金融取引まで、私たちの生活がITでつながる中、「知らない」「わからない」で済まされる時代ではなくなっています。特に、新型コロナウイルスで、テレワークを導入しはじめた企業に勤務する方にとって、Wi-Fiやインターネットの仕組みなどが理解できなければ、自宅でITの環境を整備しづらいと思います。

このような方々に向けて、「IT社会に不可欠なIT、テクノロジーのキーワードをゼロから理解する」をコンセプトに、イラストを通じて概念をつかむことができる図鑑を作りました。ゼロから理解できることを念頭に置いて作成して

いるため細かなニュアンスは省略していますが、ざっくりと理解できるよう工夫をこらしています。

本書は、以下のような方を対象にしています。
・ITやテクノロジーの用語を目にしたり聞いたりしているが、よく分からないと感じている方
・ITやテクノロジーの一般教養を学びたい方
・テレワークが導入され、ITやテクノロジーを学ぶ必要に迫られている方
・プログラミング用語の基礎を学びたい方
・学校教育で導入されるプログラミング教育をお子さまと一緒に学びたい方

ITやテクノロジーは決して難しいものではありません。本書をきっかけに、ITを味方につけて豊かに生きる方々が、一人でも多く増えることを、願ってやみません。

監修者　三津田 治夫　2020年7月吉日

この本の使い方

☑ パラパラと眺めてみて、気になった箇所から読み始めてください。

☑ 必ずしも最初から読む必要はありません。イラストだけ眺めるのもOKです。

☑ タイトル、見出し、イラストを見た後、説明、キーワードを読むと理解が深まります。

☑ 時間があるときに、何度も読み返してみることで、自然と内容が頭に入ってくるでしょう。

❶ 厳選されたITとテクノロジーの用語、100を掲載しました。

❷ ここを読めば、用語の意味を大まかにつかむことができます。

❸ ①、②を読んでイラストを眺め、用語のイメージを膨らませてください。

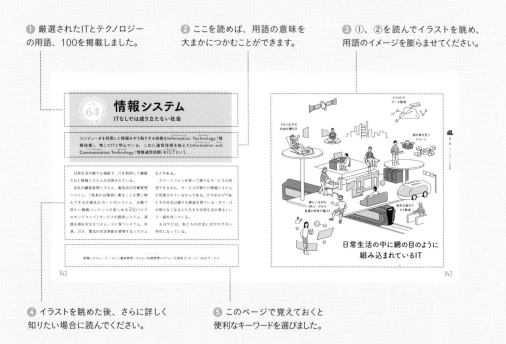

64 情報システム
ITなしでは成り立たない社会

コンピュータを利用して情報をやり取りする技術をInformation Technology（情報技術）、略してITと呼んでいる。これに通信技術を加えたInformation and Communication Technology（情報通信技術）をICTという。

日常生活の様々な場面で、ITを利用して構築された情報システムが活用されている。

会社の顧客管理システム、販売店の在庫管理システム、1枚あれば電車に乗ることも買い物もできる交通系ICカードのシステム、定額で見たい動画コンテンツが楽しめるVOD（ビデオオンデマンド）サービスの提供システム、通話・交通を安全かつスムーズに保つシステム、水道、ガス、電気の安定供給を管理するシステムなどがある。

スマートフォンを使って様々なサービスが利用できるのも、サービスの数だけ情報システムが用意されているからである。ITのおかげで私たちの社会は様々な便益を得ている一方で、ITが使えなくなるとたちまち日常生活が滞るという一面を持っている。

もはやITは、私たちの社会には欠かせない存在になっている。

情報システム／IT／ICT／顧客管理システム／在庫管理システム／交通系ICカード／VODサービス

142

日常生活の中に網の目のように組み込まれているIT

143

❹ イラストを眺めた後、さらに詳しく知りたい場合に読んでください。

❺ このページで覚えておくと便利なキーワードを選びました。

CONTENTS

第1章 | テクノロジーの基本

第2章 | テクノロジーの裏側

CONTENTS

第3章 | テクノロジーと社会

CONTENTS

第6章　テクノロジーが変える未来

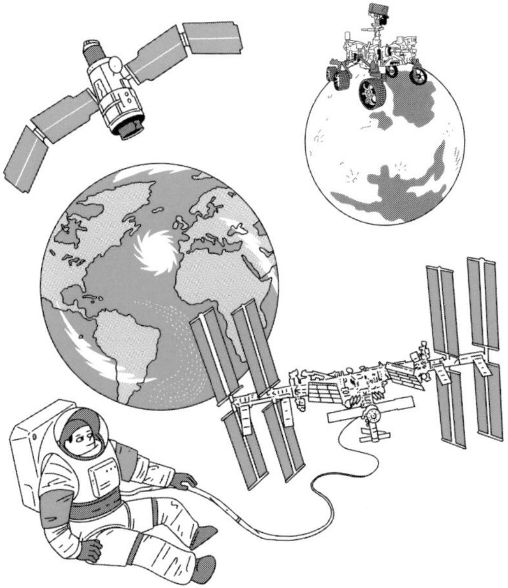

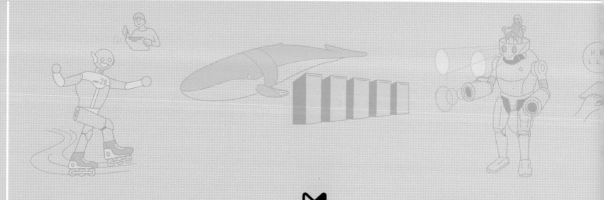

第 1 章

テクノロジーの
基本

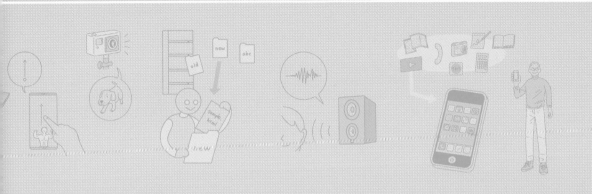

スマートフォン、タブレット、パソコン、インターネット、Wi-Fiなど、

私たちの生活は、たくさんのテクノロジーに支えられている。

デジタル技術やITは、賢く正しく使うと私たちにとって心強い味方となってくれる。

本章では、テクノロジーの基本を理解するために、

私たちにとって身近な利用例について紹介する。

コンピュータ

パソコンもスマートフォンもみなコンピュータ

人間の代わりに計算を行うコンピュータには、様々な種類があり、それぞれ用途や形状が異なる。いわゆるコンピュータといえばパソコンがあげられる。電話機が進化したスマートフォンもコンピュータの一種で、携帯性の高さが特長である。

コンピュータはパソコンとして一般に普及した。パソコンの特長は、一画面で同時に複数のソフトウェアを起動し、並行して操作できることや、コンピュータとしての動作が比較的安定していることなどである。

一カ所に腰を落ち着けての利用に適したパソコンに対し、電話機にコンピュータ機能を搭載したスマホ（スマートフォン）は、携帯に適したコンピュータとして進化した。画面サイズは小さいが、GPSや各種センサー機能なども活用し、幅広い用途に利用できる。スマートフォンの画面を大型にしたタブレット（タブレット型端末）は、画面の見やすさが特長である。パソコンやスマートフォンのほかにも、スーパーコンピュータ、ゲーム機や家電に組み込まれるコンピュータなど、コンピュータには多くの種類がある。それぞれのコンピュータは、その特長を生かし利用されている。

KEYWORD

コンピュータ／パソコン／スマートフォン／タブレット／スーパーコンピュータ／ゲーム機

用途によって使われるコンピュータは違う

大きく、一気にたくさんの処理を行えるコンピュータ

小さいけれど器用なコンピュータ

スマートフォン

高性能が売りの電話だからスマートフォン

2007年に登場したiPhone(アイフォーン)をきっかけに、世界中でスマートフォンの利用が広がった。携帯電話、パソコン、音楽・動画プレーヤー、ゲーム機、デジタルカメラ、IC(アイシー)レコーダーなど、幅広い電子機器の機能がスマートフォンだけで利用できる。

スマートフォンは、ディスプレイにタッチスクリーン(タッチパネル)を使用し、指を使ったタップやスライドにより操作する。薄い板状のハードウェアに、高性能なCPU(シーピーユー)とメモリに加えて、カメラ、マイク、スピーカー、GPS受信機や各種センサー、モバイル通信やWi-Fi(ワイファイ)、Bluetooth(ブルートゥース)などのネットワーク機能などが内蔵されている。これらのハードウェアの機能は、アプリ(アプリケーションの略)をイ

ンストールすることで利用できる。様々な目的に適したアプリが無数に提供されているので、ビジネス、プライベート問わず、あらゆる場面でスマートフォンを活用している。

スマートフォンには専用のOS(オーエス)が必要である。OSは大きくiOS(アイオーエス)とAndroid(アンドロイド)に分かれる。iOSはApple(アップル)社が開発・製造・販売を行うiPhoneに、Androidはそれ以外のスマートフォンの多くに搭載されている。

KEYWORD

スマートフォン／携帯電話／パソコン／音楽・動画プレーヤー／ゲーム機／デジタルカメラ／ IC レコーダー

様々なツールを詰め込んだマシンを作りました！

スティーブ・ジョブズ

初代iPhone
（2007）

SNS

様々なスマートフォンが開発され続けている

ハード、ソフト

コンピュータを動かす組み合わせ

コンピュータは、物理的な機械としてのハードウェアとハードウェアを動かすためのソフトウェアで構成される。どちらか一方だけではコンピュータは機能せず、どちらか一方の性能が高くてもうまく機能しない。両者が協力することで能力を発揮する。

　ハードウェア（略してハード）とは、もともとは「金物」の意味である。パソコンの場合、CPU、メモリ、ハードディスクドライブなどの本体、マウスやキーボードといった入力装置、プリンタなどの出力装置など、目に見える装置のすべてをひっくるめてハードウェアである。

　これに対して、ハードウェアを動かすためのプログラムやデータを総称してソフトウェア（略してソフト）という。ソフトウェアは無形で

あり、目には見えない。ソフトウェアには、OS、アプリケーションソフトなどがある。

　自身の意思によって身体を動かすことができる人間に例えると、身体がハードウェアに相当し、意思や思考、知識がソフトウェアに当たる。コンピュータも、ハードウェアだけでは何もできないが、ソフトウェアをハードウェアに読み込ませることで目的に沿って動かすことができる。

KEYWORD

ハードウェア／ソフトウェア／ CPU ／メモリ／ハードディスクドライブ／マウス／キーボード／プリンタ／ OS

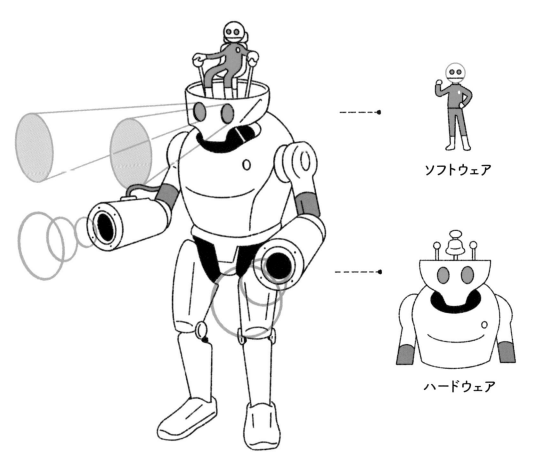

ソフトウェア

ハードウェア

電卓のように、最低限の機能を持った ハードとソフトの組み合わせもある

入力装置

情報をインプットするための装置

コンピュータに何らかの命令を実行させたいとき、人間はコンピュータに対して指令を出す必要がある。人間がコンピュータに指令を出すことや命令実行に必要なデータを供給することを入力やインプットといい、入力するための装置を入力装置という。

コンピュータの普及が進んだ時期に広く利用されていたデスクトップパソコンには、入力装置としてキーボードとマウスが付いていた。

キーボードは、文字や数字を直接入力できる装置である。マウスは、画面上の位置情報により入力する装置である。

スマートフォンやタブレットは、ディスプレイ画面に直接タッチして入力を行う。これをタッチスクリーンという。

パソコンやスマートフォンなどの音声の入力にはマイクを利用する。

画像の入力にはデジタルカメラやスキャナーを利用する。デジタルカメラやスキャナーは、音声や写真などのアナログデータをコンピュータが処理できるデジタルデータに置き換える。

ゲーム機のコントローラー、コンビニレジで使われるバーコードリーダー、ICカード読み取り装置も、入力装置の仲間である。

KEYWORD

入力装置／インプット／キーボード／マウス／タッチスクリーン／マイク／デジタルカメラ／スキャナー

インプット（INPUT）

出力装置

情報をアウトプットするための装置

コンピュータの状態や命令を実行した結果を表示することを出力やアウトプット、出力するための装置を出力装置という。コンピュータ自体は結果をデジタルデータで出力する。これを人間が利用できる形で表すために、各種の出力装置が用いられる。

視覚的な出力装置としてコンピュータの利用に欠かせないのが、ディスプレイである。モニターといわれることもあり、操作画面や命令実行の状態、実行結果などを表示するために利用される。スマートフォンなどでは、入力装置と出力装置が一体になったタッチパネルディスプレイが利用される。

スピーカーは音声を出力する装置、プリンタは紙に印刷して出力する装置である。現在は、立体を出力する3D（スリーディー）プリンタも登場している。

ヘッドマウントディスプレイは、コンピュータが作り出す仮想現実（VR（ブイアール））を出力するための装置である。工場などでコンピュータの制御により駆動する産業用ロボットも一種の出力装置といえる。

HDMI（エイチディーエムアイ）ケーブルを使ってテレビを出力装置として使用することもできる。テレビゲーム機は、テレビを出力装置として利用する。

KEYWORD

出力装置／アウトプット／ディスプレイ／モニター／スピーカー／プリンタ／ヘッドマウントディスプレイ

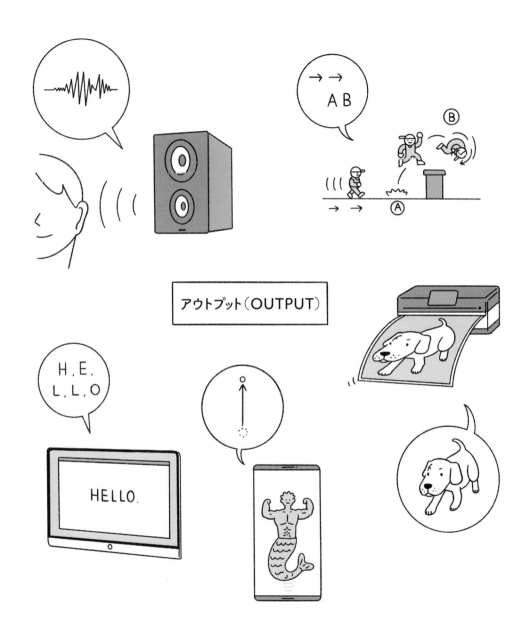

アウトプット（OUTPUT）

CPU、GPU
シーピーユー　ジーピーユー
たくさんの命令を処理する有能な部品

CPU（中央処理装置）は、コンピュータ全体の基本的性能を決める最重要部品で、複雑な計算を連続的に処理することを得意とする。GPU（画像処理装置）は、画像処理を専門に行う部品で、定型的だが大量の計算を並列に処理することが得意である。

CPU（Central Processing Unit）もGPU（Graphic Processing Unit）もコンピュータにおいて計算を担う部品である。CPUは、プログラムの命令を実行するための複雑な計算や、まわりの入出力装置や記憶装置のコントロールなど様々な役割を果たす。

GPUは、画像処理の計算だけを切り離して専用処理する部品であり、精細な画像を高速に描写するような、定型的な処理に特化した構造を持つ。美しい画像と素早い動きが魅力のゲームでは、GPUの能力が高いとパフォーマンスが大幅に向上する。

最近では、定型的な処理を高速に行うことが得意なGPUの特性を生かして、ディープラーニングや仮想通貨のマイニングに利用することがある。このような画像処理以外の計算を行うGPUをGPGPU（General-Purpose computing on GPUs）という。

KEYWORD
CPU ／ GPU ／ゲーム／画像処理／ディープラーニング／マイニング／ GPGPU

コンピュータ全体の
計算や、
連続的な処理を
得意とするCPU

画像や3Dデータなど
大きなデータを
一気に処理することが
得意なGPU

記憶装置

データを保存しておくための装置

コンピュータはプログラムで動き、プログラムがデータを処理する。プログラムもデータもデジタルデータであり、コンピュータにはこれらのデジタルデータを置いておく場所が必要である。これらのデータを保存、記憶しておくための装置を、記憶装置という。

コンピュータの記憶装置には、補助記憶装置（ストレージ）と主記憶装置（メインメモリ）の2つがある。補助記憶装置はプログラムやデータを長期間保存しておく装置で、パソコンに内蔵されるHDD（ハードディスクドライブ）などがある。主記憶装置には、コンピュータの脳に当たるCPUが、処理に必要なプログラムやデータを保持しておく。主記憶装置には、おもに軽量で読み書き速度が速く振動に強い、DRAMという半導体メモリが使われている。

フラッシュメモリは半導体メモリの一種で、電源を切っても記憶内容が失われない。スマートフォンのストレージやSSD、データの持ち運びに適したUSBメモリ、SDカードなどにも使われている。USBメモリ、SDカードなどを記録メディアともいう。レーザー光を利用してデータを読み書きするCD、DVD、Blu-ray Discなどの光学ディスクも記録メディアである。

KEYWORD

補助記憶装置／主記憶装置／半導体メモリ／フラッシュメモリ／ USBメモリ／ SDカード／ CD ／ DVD ／ Blu-ray Disc

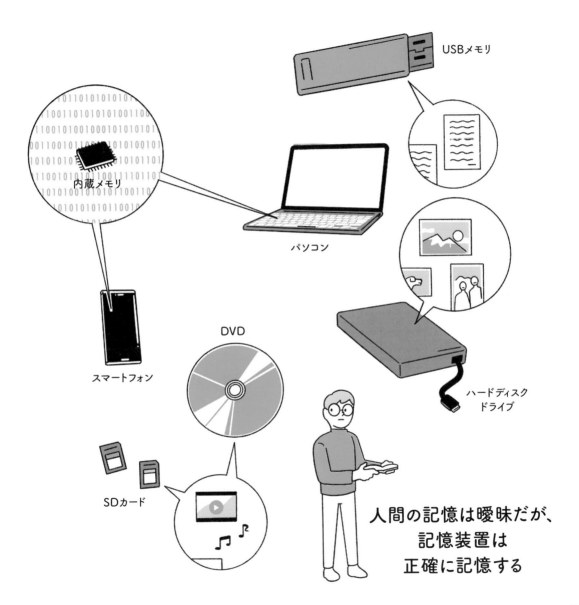

USBメモリ

内蔵メモリ

パソコン

スマートフォン

DVD

SDカード

ハードディスク
ドライブ

人間の記憶は曖昧だが、
記憶装置は
正確に記憶する

インターフェース

異なる種類のもの同士をつなげるためのもの

インターフェースは、日本語で「境界面」「接点」といい、モノとモノ、ヒトとモノの間などを接続する規格や仕様を定めたものである。コンピュータ本体とほかの装置をつなげるインターフェースには多くの種類があり、それぞれ規格や仕様が異なる。

パソコンとプリンタなどを接続するために、USBやLANケーブル、無線電波を使用するBluetooth、Wi-Fiなど多くのインターフェースが利用されているが、接続する双方が利用可能なインターフェースを利用する必要がある。

機械同士を接続するための規格や仕様を定めたものをハードウェアインターフェース、インターネットなどネットワークに接続するためのインターフェースをネットワークインターフェースという。

また、ヒトとコンピュータなど機械との接点をマンマシンインターフェースやヒューマンインターフェースという。キーボード、マウス、ディスプレイ、タッチスクリーンなどがある。

人間がコンピュータを操作する際、画面を見ながらキーボードやマウス、タッチによる入力を行う。人間とコンピュータが情報をやり取りする接点をユーザインターフェースという。

KEYWORD

ハードウェアインターフェース／ネットワークインターフェース／マンマシンインターフェース／ユーザインターフェース

ネットワーク
インターフェース

インターネット

マンマシン
インターフェース

ハードウェア
インターフェース

OS
オーエス

基本となるソフトウェアがあるから使いやすくなる

文書作成ソフトや画像編集ソフトなどのアプリケーションは、そのソフトだけではコンピュータを動かすことはできない。ハードウェアとしてのコンピュータの能力を効率よく使うために、基本となるソフトウェアであるOSが利用される。

アプリケーションを実行するためには、プログラムをメモリ（主記憶装置）に移動させる、CPUに演算させるなど、ハードウェアに命令を出す必要がある。

複数のアプリケーションを同時に動かす場合には、各アプリケーションが効率よくメモリやCPUを使用できるように管理する必要がある。このように、アプリケーションなどとコンピュータとの間を取り持つのが、OSである。

OSはOperating Systemの略で、基本ソフトともいう。

OSには複数の種類があり、種類によって機能が異なる。一般のユーザが利用するパソコン向けOSとしては、WindowsシリーズやmacOSシリーズが有名である。オープンソースのLinuxは、サーバコンピュータ用のOSとして広く利用されている。スマートフォン向けのOSとしては、iOSとAndroidが有名である。

KEYWORD

OS / Windows / macOS /オープンソース/ Linux /サーバコンピュータ/ iOS / Android

WORD
10

オープンソース

みんなで育てていくソフトウェア

通常、商品化されたソフトウェアのソースコードは公開されない。これに対し、オープンソースソフトウェアはソースコードを公開している。無料で使えて、プログラムの改変や再配布が可能、「ユーザみんなで育てながら自由に使える」ソフトウェアである。

商品として販売されるソフトウェアは、プログラマーが作ったソースコードを、コンピュータを動かすための機械語に変換した後に市場に出回る。

機械語は、0と1だけを使用する2進法で表現されているデータで、人間が解読することは難しい。プログラムの元ネタであるソースコードを公開しない理由は、ソフトウェア開発により生じる権利やセキュリティ確保のためである。

これに対し、オープンソースソフトウェアは、ソフトウェア開発の進歩とソフトウェア自体の使い勝手の良さを目指す考え方に基づき、開発に多くの人の手が加わる。オープンソースソフトウェアについては、米国のOSI（オープンソースイニシアティブ）という団体が定義をまとめている。私的利用、商用利用を問わない、改変や再配布が自由にできるなど、オープンソースの要件を定義している。

KEYWORD

オープンソース／ソースコード／プログラマー／機械語／OSI

新しいロボットの
設計図を
オープンソースとして
公開します！

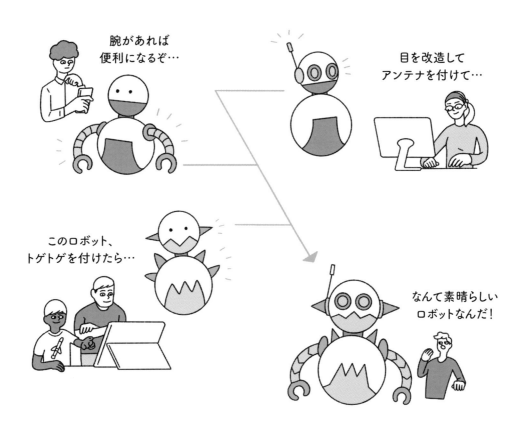

腕があれば
便利になるぞ…

目を改造して
アンテナを付けて…

このロボット、
トゲトゲを付けたら…

なんて素晴らしい
ロボットなんだ！

ライセンス契約

ソフトウェアは許諾を得て使用する

お金を払いソフトウェアを手に入れても、そのソフトウェア自体が自分の所有物になるわけではない。原則的にソフトウェアは、ソフトウェアメーカーなどとの間でライセンス契約を結び、契約に定められた範囲内において使用することが認められている。

　小説や絵画、音楽、映画などが著作物として著作権法で保護されるように、ソフトウェアを構成するプログラムは、著作権法上の著作物として保護される対象となる。

　著作権法で保護される著作物を使用するには、著作権者の許諾が必要であり、ソフトウェアについても同様である。使用許諾のことをライセンスといい、使用者は著作権者であるソフトウェアメーカーとライセンス契約を結んでソフトウェアを使用する。

　ライセンス契約には、インストールできるコンピュータの台数、使用目的、使用できる期間などが定められている。使用者は定められた範囲内でソフトウェアを使用することができるが、契約の範囲を超えた使用は著作権の侵害となる。ソフトウェアを無断でコピーして譲渡したり、コピーを販売したりする行為も著作権侵害行為に当たる。

KEYWORD

ソフトウェアメーカー／ライセンス契約／著作権法／著作権侵害

絵を描くための
ソフトウェア

所有者
（開発元）

ライセンス契約

無断でコピーして
使用したり、
販売したりしてはいけない！

アップデート

ソフトウェアだってメンテナンスが必要だ

ソフトウェアは、公開後や発売した後にもバグ（不具合）を解消するための修正や改良が行われる。インストール済みのソフトウェアを、バグの解消やマイナーな機能の追加が行われた最新状態のものに更新することを、アップデートという。

アップデートは、新たに見つかったバグの解消、新しい機能の追加や性能の向上のために行われる。セキュリティの強化のために行われることも多く、アップデートを行わないとバグを悪用され、コンピュータがマルウェアという悪質なプログラムに感染させられることもある。

新機能の追加や操作画面の刷新など大幅な変更を行い、別のソフトウェアとして新たに発売・公開する場合は、すでにインストールされている古いソフトウェアを新しいソフトウェアに入れ替える。これをバージョンアップやアップグレードという。

開発元では、修正・改良前のソフトウェアとの差異がわかるようにバージョンという番号で管理する。Windows 10 や iOS 13 の「10」や「13」がバージョンである。バージョンアップの場合は12から13のように、アップデートの場合は13.1.1から13.1.2のように番号が変わる。

KEYWORD

バグ／アップデート／セキュリティ／マルウェア／バージョンアップ／アップグレード

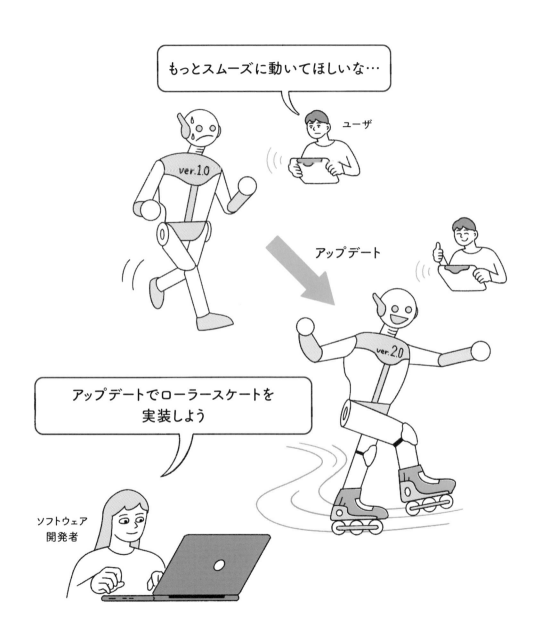

トランジスタ

スイッチをパチパチつけたり消したり…

コンピュータの主要な部分は、トランジスタという小さな部品を組み合わせて作られている。トランジスタは半導体で作られた電子部品で、微弱な電気信号を強くする増幅機能、電子回路においてオン・オフを高速に切り替えるスイッチング機能を持つ。

　コンピュータを始めとする電子機器は動作に電気を必要とする。トランジスタは電気の流れを制御する部品であり、様々な電子機器に利用されている。最もポピュラーなのが、3本の足（単線の電線）を持つ数ミリの円筒形のものである。多数のトランジスタを小さなパッケージに封じ込めたものが、IC（集積回路）である。

　トランジスタの主要な働きが、増幅とスイッチングである。たとえばラジオが受信するのは微弱な信号だが、トランジスタが増幅する（信号の強さを大きくする）ことにより、スピーカーから大きな音を出すことができる。

　コンピュータで使われる2進法の0と1を表すために、トランジスタのスイッチング機能が使われる。2進法の1はスイッチがオン（電流が流れている）、0はスイッチがオフ（電流が流れていない）の状態で置き換えることができる。

KEYWORD

トランジスタ／半導体／電気信号／増幅機能／スイッチング機能／電子機器／ IC ／ 2進法

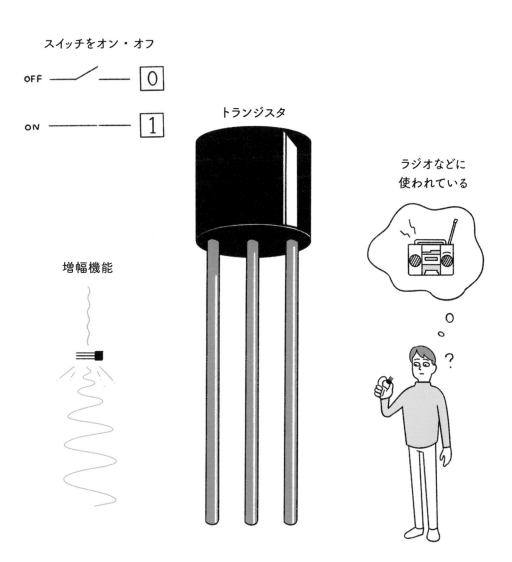

スイッチをオン・オフ

OFF 　0

ON 　1

トランジスタ

増幅機能

ラジオなどに
使われている

トランジスタはコンピュータの中心的役割を担う

集積回路（IC）
トランジスタを可能な限り詰め込んだもの

集積回路（Integrated Circuit：IC）は、半導体チップ上にトランジスタなどの電子素子を多数まとめて作り込んだ電子部品である。コンピュータでは、演算・制御を行うCPU、記憶を担うメモリ（主記憶装置）などの重要部品は、ICの形で製造される。

ICの構成要素は、トランジスタなどの機能を持つ素子（電気回路を構成する要素）である。トランジスタは電子回路のスイッチとして働く。コンピュータの心臓部であるCPUは、膨大なスイッチの組み合わせで超高速な計算を行う。現在、コンピュータを始めほとんどの電子機器にICが使われている。

1965年、ICに組み込まれるトランジスタの数は18カ月ごとに2倍のペースで増えるという予測が発表された（ムーアの法則という）。1個のICに組み込まれるトランジスタの数を集積度といい、技術の進歩によりICの集積度はより高く、サイズはより小さく、消費電力はより少なく、処理速度はより速くなっている。集積度が高いものはLSI（Large Scale Integration）、VLSI（Very LSI）と呼ばれる。現在は、10億超のトランジスタが1個のICに集積されている。

KEYWORD

集積回路／ IC ／半導体／トランジスタ／ムーアの法則／集積度／ LSI ／ VLSI

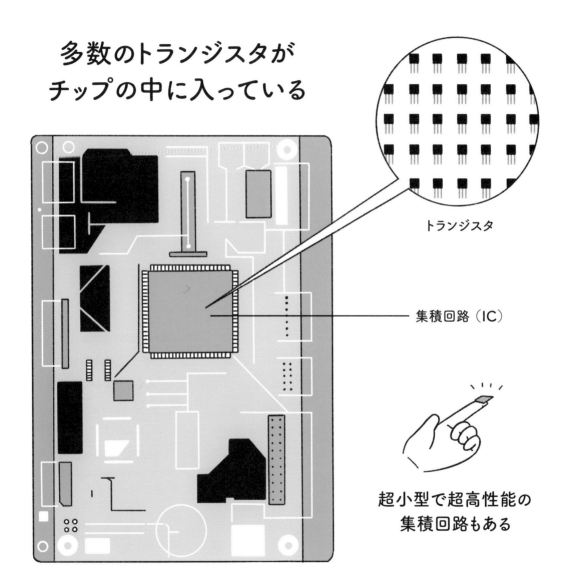

多数のトランジスタが
チップの中に入っている

トランジスタ

集積回路（IC）

超小型で超高性能の
集積回路もある

スーパーコンピュータ

コンピュータはどこまで発展していくのか？

コンピュータは計算を得意とするが、より複雑で大規模な計算にはより高性能なコンピュータが必要になる。そこで生まれたのが、スーパーコンピュータだ。パソコンの計算速度がカタツムリだとすると、スーパーコンピュータの速度はジェット機並みだ。

気象予測や新薬開発、大規模シミュレーションやビッグデータ解析など、科学技術研究を中心に高性能で大規模なコンピュータが必要とされる。スーパーコンピュータ（略してスパコン）は、処理能力の高いCPU（コンピュータの中枢として問題を処理する装置）を複数、並列に動作させることで高性能を実現している。CPU1個ではとてつもない時間がかかる大きな問題を細分化し、数万個のCPUで同時に処理する仕組みである。2020年6月、スパコンの性能ランキングで世界1位を獲得した日本の「富岳」は、15万個のCPUを持つ。

近年では、これまでのコンピュータと原理が異なる、量子力学に基づいた量子コンピュータが開発されている。2019年、Google社は、開発中の量子コンピュータが、スパコンでは1万年かかる問題を数分で解いたことを発表している。

KEYWORD
スーパーコンピュータ／大規模シミュレーション／ビッグデータ解析／量子力学／量子コンピュータ

性能のいいコンピュータほど
高速に大量の計算をこなす

一般的なコンピュータ　　スーパーコンピュータ　　　　量子コンピュータ

インターネット

地球規模でつながった巨大な通信ネットワーク

通信機能を持つコンピュータなどを互いに接続して通信が行えるようにした状態を通信ネットワークまたは単にネットワークという。ネットワーク同士を次々と接続して世界規模までに広げ、誰でも利用できるようにしたものがインターネットである。

ネットワークの形態や規模は様々である。小規模で、会社や学校の中のように限られた範囲で利用するネットワークを LAN (Local Area Network) という。家庭内でパソコンやプリンタ、スマートフォンなどを相互に接続したものも LAN である。LAN には、ケーブルを使用して接続した有線 LAN と電波を使用して接続した無線 LAN (Wi-Fi) が存在する。

本社の LAN と支社の LAN のように、離れた場所にある LAN 同士を接続し、広域のネットワークを形成することがある。このようなネットワークを LAN に対して WAN (Wide Area Network) という。

世界中に無数に存在する LAN や WAN をつなげた巨大なネットワークがインターネットである。インターネットに接続することで、LAN や WAN の外にあるコンピュータ同士が、相互に通信を行うことができる。

KEYWORD

通信ネットワーク／ネットワーク／インターネット／ LAN ／有線 LAN ／無線 LAN ／ WAN

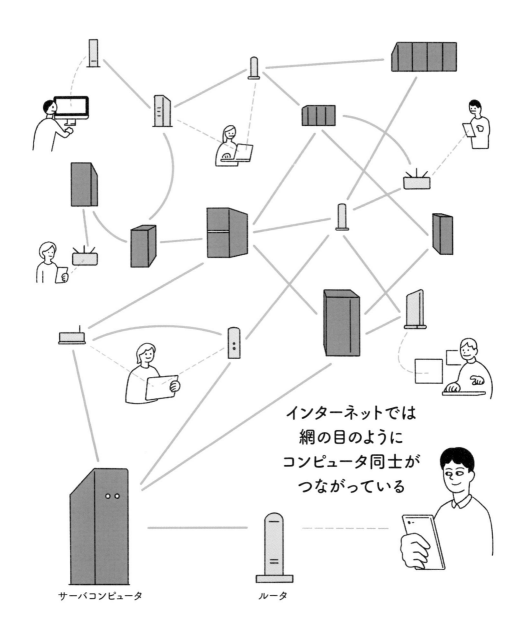

インターネットでは
網の目のように
コンピュータ同士が
つながっている

サーバコンピュータ

ルータ

ルータ

パソコンもスマホも同時にネット接続

家庭などでパソコンやスマートフォンなど複数の端末をインターネットに接続するためには、ルータが必要になる。ルータは、ネットワーク同士を接続するための装置である。LANケーブルや無線LAN（Wi-Fi）を利用して、端末を接続する。

光回線などのインターネット接続サービスを契約して利用するためには、まずは回線終端装置が必要となる。コンピュータで利用するデジタル信号と光回線などで流れる信号は異なるが、回線終端装置がこれを変換してくれる。回線終端装置にパソコンなどの端末を直接つないでもインターネットを利用できるが、1台だけではなく複数の端末を同時に利用したい場合にはルータという装置が必要になる。

ルータは、ネットワークからネットワークへデータの中継や転送を行うための装置である。家庭で利用する場合は、家庭内のLANというネットワークとプロバイダのネットワークを接続してデータを中継することになる。

家庭で使われるルータは、無線LANなど多くの機能を持っていることが多く、回線終端装置と一体になったルータも存在する。

KEYWORD

ルータ／無線LAN／回線終端装置／デジタル信号／光回線／LAN／ネットワーク／プロバイダ

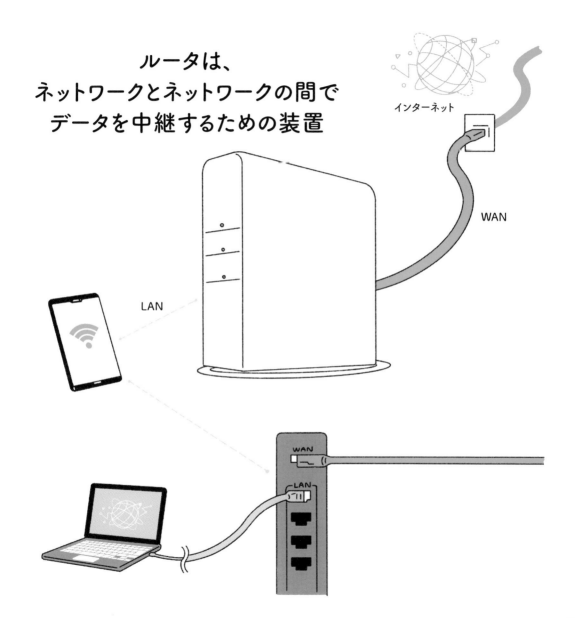

ルータは、
ネットワークとネットワークの間で
データを中継するための装置

インターネット

WAN

LAN

Wi-Fi
ワイファイ

電波を使って通信する方法の1つ

無線による通信方式には様々な種類があり、その1つが無線LANである。無線LANの国際標準規格として普及しているのがIEEE 802.11シリーズであり、IEEE 802.11シリーズ規格の無線LANの別名として使われているのがWi-Fiである。
アイトリプルイー

無線LANは、電波を使ってネットワーク内の通信を行う技術のことである。Wi-Fiは、無線LANの普及を進める国際的な業界団体Wi-Fi Allianceが決めたブランド名で、パソコンやスマートフォンなどの無線LAN端末がIEEE 802.11シリーズに対応していると認定されると、Wi-Fiの名称やロゴを使用することができる。現在、Wi-Fiを無線LANと同じ意味で使うことが多い。
アライアンス

無線LANでは、親機のアクセスポイント（機器）に、子機の無線LAN端末が接続して通信を行う。アクセスポイントはそれぞれ固有の識別名（ESSID）を持ち、無線LAN端末は接続の際にこれを指定する。電波は傍受されやすいので、通常は通信内容の秘匿のためにWPA2などの暗号化方式が使用される。暗号化方式を使用する無線LANを利用する場合は、識別名と一緒にパスワードを指定する。
イーエスエスアイディー
デブリューピーエーツー

KEYWORD
無線LAN ／ IEEE 802.11 シリーズ／ Wi-Fi ／アクセスポイント／ ESSID ／ WPA2

至る所で飛び交う Wi-Fiの電波

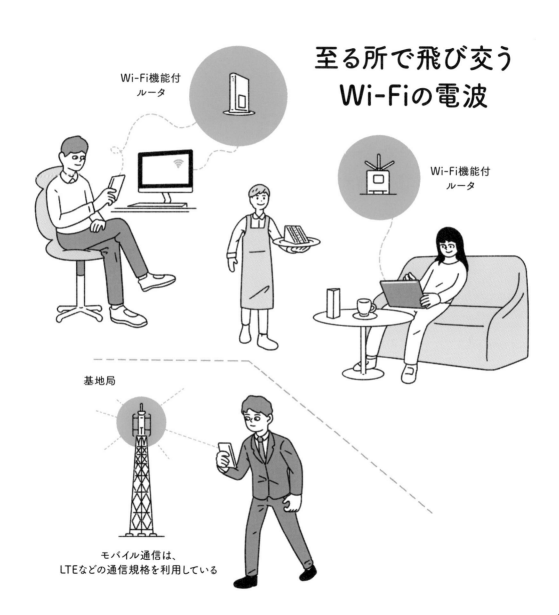

Wi-Fi機能付
ルータ

Wi-Fi機能付
ルータ

基地局

モバイル通信は、
LTEなどの通信規格を利用している

Webページ
ウェブ

インターネットの世界で情報を見る単位

インターネット上には様々な情報が公開されているが、それらはWebページという単位で提供される。Webページを閲覧するための仕組みが、WWW（World Wide Web）である。Webページはシブサーバから提供され、Webブラウザが受け取る。
ダブリュ―ダブリュ―ダブリュ―　ワールド　ワイド
ウェブ

　WWWでは、WebブラウザがWebサーバに対してWebコンテンツ（Webページで提供される情報の中身）をリクエストし、Webサーバがこれを送り返す。Webページ同士はハイパーリンクという仕組みで関連付けされ、閲覧中のWebページから異なるWebページに容易に移動することができる。World Wide Webは、ハイパーリンクが蜘蛛の巣（web）状に世界中に広がっていることに由来する。

　現在、インターネットでは様々なサービスが提供されている。それらは、Webブラウザを介して利用できる。サービスの操作画面はWebページとして表示され、これを操作すると情報がWebサーバへ送られ、Webサーバでは様々なアプリケーションを使用してこれを処理し、結果を送り返す。このようにWWWの技術を基盤として利用されるアプリケーションを、Webアプリケーションという。

KEYWORD
Webページ／ WWW ／ Webブラウザ／ Webサーバ／ Webコンテンツ／ Webアプリケーション

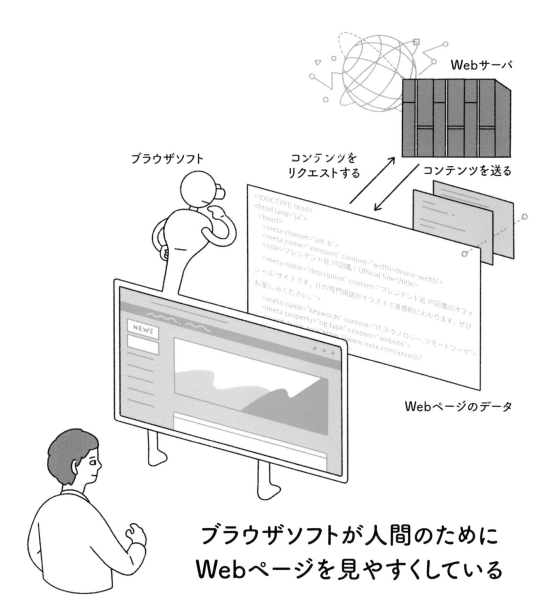

Webサーバ

ブラウザソフト

コンテンツを
リクエストする

コンテンツを送る

```
<!DOCTYPE html>
<html lang="ja">
  <head>
    <meta charset="utf-8">
    <meta name="viewport" content="width=device-width">
    <title>プレジデント社 IT図鑑｜Official Site</title>
    <meta name="description" content="プレジデント社 IT図鑑のオフィ
シャル・サイトです。ITの専門用語がイラストで直感的にわかります。ぜひ
お楽しみください。">
    <meta name="keywords" content="IT,テクノロジー,リモートワーク">
    <meta property="og:type" content="website">
```

NEWS

Webページのデータ

ブラウザソフトが人間のために
Webページを見やすくしている

HTML、CSS
エイチティーエムエル　シーエスエス

伝えたい情報はHTMLで、伝え方はCSSで

Webページ上で伝えたい内容（情報）とその構造は、HTMLという言語を使用して記述する。Webページ上で伝えたいことがより伝わるようにするには、見栄えやデザインを整える必要がある。そのためにCSSというスタイルシートが使用される。

Webページの記述は、HTML（HyperText Markup Language）や、CSS（Cascading Style Sheets）を使って記述する。

HTMLはWebページで「何を」伝えるかを記述するために、CSSは「どのような形式で」伝えるかを記述するために使用される。HTML文書中の文字のフォント、色、サイズ、表示する位置、背景など見栄えに関する指定は、CSSで行う。以前は、文書の見栄えもHTMLで指定していたが、見栄えと文書構造を分離するために、表示形式を指定するCSSが使用されるようになった。

HTMLとCSSで役割を分担するため、デザインを変更したいときは、CSSを変更するだけで済む。表示するデバイスの種類に合わせて表示形式を変更すること（レスポンシブデザインという）も、CSSの設定によって行うことができるようになった。

KEYWORD
Webページ／ HTML ／CSS ／スタイルシート／レスポンシブデザイン

基本的な構成、
文字情報を担う

画像や色をつけたり、
アニメーションで見やすくする

URL
ユーアールエル

Webページの保管場所はどこ?

Webを閲覧する際、ブラウザのアドレスバーという欄にｈｔｔｐやｈｔｔｐｓで始まる文字列を入力する。この文字列がURL（Uniform Resource Locator）で、インターネット上のどこかに保管されている、Webページの場所を指定するための記述方法である。
エイチティーティービー　エイチティーティービーエス
ユニフォーム　リソース　ロケーター

Webブラウザでは、URLで指定したWebページのデータを、Webサーバというコンピュータにリクエストして取り寄せている。URLには、Webページを取得するための通信手段（スキームという）と、Webページの保管場所を指定する。

通常のWebページの場合は、スキーム名にhttpを指定する。通信内容が暗号化される場合はhttpsが利用される。場所の指定方法は保管場所によって異なるが、基本的にはWebサーバの名前、Webサーバ内のファイルの保管場所の順で指定する。

たとえば、http://www.example.com/new/sample.htmlというURLを指定する場合は、www.example.comというWebサーバにnewというフォルダが存在し、その中のsample.htmlというファイルをリクエストするという意味である。

KEYWORD

URL ／ Web ／ Webブラウザ／アドレスバー／ http ／ https ／ Webサーバ／ Webページ

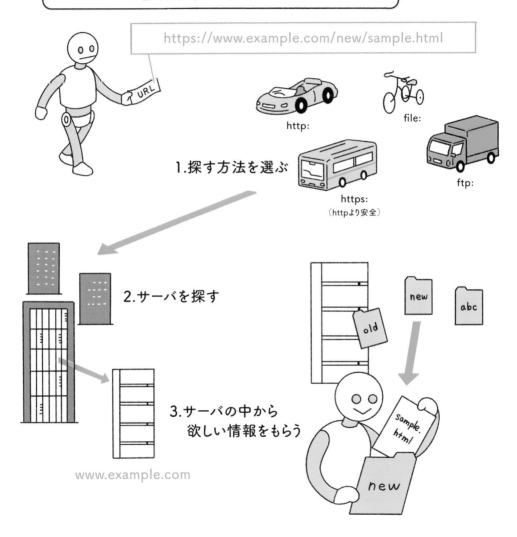

URLにはたどり着きたい情報の
場所と行き方が記されている

https://www.example.com/new/sample.html

http:

file:

https:
（httpより安全）

ftp:

1.探す方法を選ぶ

2.サーバを探す

3.サーバの中から
　欲しい情報をもらう

www.example.com

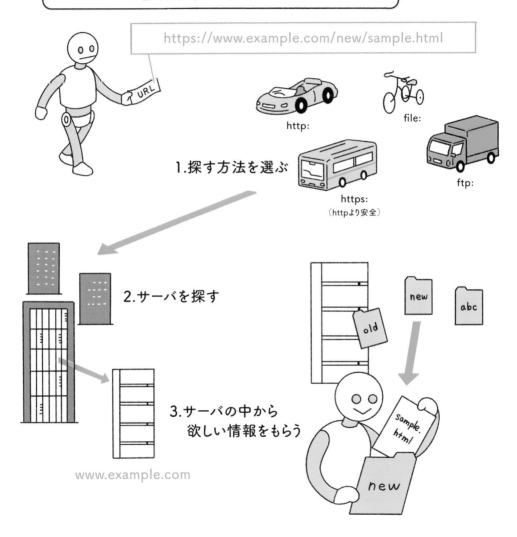

ストリーミング

テレビのように観ることができる配信技術

ストリーミングとは、インターネット上の音楽・動画配信サービスに利用されている技術である。ダウンロードが終わるのを待ってから再生する方式と異なり、音楽や動画のデータを少しずつ受け取りながら再生するもので、ライブ配信にも利用されている。

ファイルを提供するサーバからインターネットを通してデータを受け取ることをダウンロードという。インターネット上で動画などを視聴する際、元来は、サーバから視聴対象の動画ファイルをすべてダウンロードし終わってから再生していた。

ストリーミングは、再生までに時間がかからない技術として開発された。サーバから少量のデータを一定のペースで送り出し、視聴する側がこ

れをすぐに再生する。再生したファイルを視聴する端末上に保存しないようにすることができるので、配信サービスを提供する側にとっては、コンテンツの2次使用を防ぐことができる。

ストリーミングではなく、ある程度の量のデータをダウンロードすると再生が行われるプログレッシブダウンロードという方式が、利用されることもある。

KEYWORD

ストリーミング／音楽・動画配信サービス／ライブ配信／ダウンロード／プログレッシブダウンロード

ストリーミング

川の流れのように次々と流れてくる
データを観ることができる
通信方法

流れてくる水の量（通信量）が多いほど
スムーズに観ることができる

ダウンロード

保存してしまえば
いつでも観ることができる

UI、UX
ユーアイ　ユーエックス

見て触れる部分がUI、感じる部分がUX

ユーザインターフェース（UI）とは、製品やサービスとその利用者（ユーザ）との接点のことである。ユーザが目にする部分、触れる部分を指す。ユーザエクスペリエンス（UX）とは、ユーザが製品やサービスの利用を通して得られる体験・経験のことである。

コンピュータであればキーボードやマウス、タッチパネルなどの操作、利用状況や操作結果の画面表示などが、UI（User Interface）に含まれる。Webサイトをユーザが利用しやすいようにデザインすることもUIの一種である。

ハードウェア（製品）やソフトウェア（サービス）において、ユーザの眼に見えるところ、手で触れるところのすべてがUIとなる。ユーザが見てわかりやすい、操作しやすいものはUIが優れているということになる。

UX（User Experience）とは、文字通りユーザの体験や経験であり、ユーザが製品やサービスの利用を通して受ける印象は評価に直結する。UIの良し悪しは使いやすさにつながり、使い勝手が良いとUXは高まり、使い勝手が悪いとUXは低くなる。つまり、UXを高めるためには、UIの設計をどのように行うかが重要な要素となる。

KEYWORD

UI ／ UX ／ユーザ／キーボード／マウス／タッチパネル／ Webサイト／デザイン

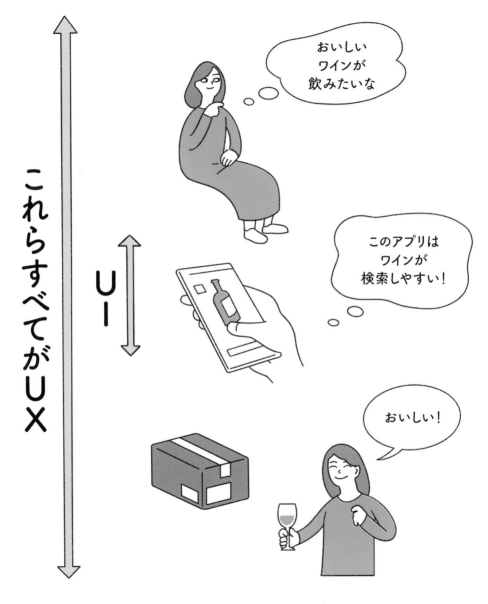

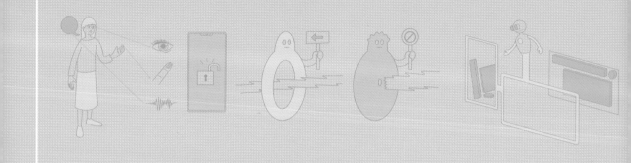

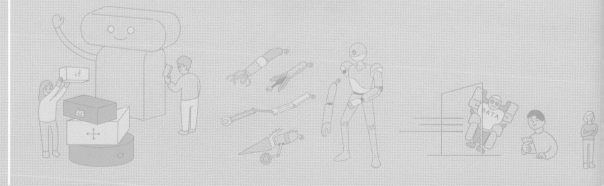

第2章

テクノロジーの
裏側

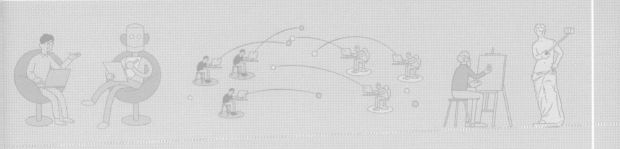

「スマホで動画を見る」行為の裏側には、
クラウド、プログラミング、IPアドレス、圧縮など、数多くの技術が隠れている。
また、便利なテクノロジーは危険とも隣り合わせであり、
暗号化などの安全に関わる技術も存在する。
本章では、身近なテクノロジーの裏側にある様々な技術について紹介する。

サーバ、クライアント

サービスを提供する人、受ける人

WORD
24

コンピュータやネットワークの世界では、様々な目的を実現するための機能がサービスとして提供される。サービスを提供する側のコンピュータやソフトウェアをサーバという。サービスを利用する側のコンピュータやソフトウェアをクライアントという。

Webシステムを始め、ITシステムの多くは、サーバとクライアントが役割を分担して稼働している。たとえばWebシステムでは、クライアントがWebブラウザ、サーバがWebサーバである。Webブラウザがコンテンツをリクエストし、これに対しWebサーバはコンテンツを提供するという仕組みで成り立つ。Web以外にも、インターネットを利用して各種のサービスを利用する場合は、インターネット上のどこかにサービスを提供するサーバが存在し、これにスマートフォンやパソコンなどを使ってサービスの利用を要求していることになる。

このように、サーバとクライアントが役割を明確に分担して処理を進めるシステムをクライアントサーバシステムという。サーバとクライアントのように明確に役割を分担せず、複数のコンピュータが対等の関係でやり取りをして処理するシステムをピアツーピア（P2P）という。

KEYWORD

サーバ／クライアント／ Webシステム／ Webブラウザ／ Webサーバ／クライアントサーバシステム／ P2P

クラウド

どこにあるかは不明でも「雲」の中にはある

クラウドコンピューティングとは、インターネット経由でハードウェアやソフトウェアなどをサービスとして利用する形態のことである。クラウドという言葉は、コンピュータのシステムを図で表すときにネットワークを雲（cloud）の形で表すことに由来する。

iCloudのようなオンラインストレージ、Gmailなどの電子メールは、クラウドを利用するサービスである。利用者はスマホを操作しているように見えて、実際はインターネット上にあるデータやソフトウェアを操作している。

クラウドコンピューティングは、インターネット上のサービス提供にも利用されている。サービス提供事業者は、必要な資源（ハードウェアやソフトウェア）を自社で保有せず、インターネット経由で資源を提供するクラウド事業者から利用権を購入して利用する。クラウド事業者は資源の保管・提供場所であるデータセンターを持つ。サービス提供事業者は、ハードウェアやソフトウェア導入にかける費用やメンテナンスを自社で行う必要がなくなる。一方、誰もが利用できるインターネット上にあることで不正な攻撃を受けやすく、クラウド事業者は、データの安全を強固に保つ必要がある。

KEYWORD
クラウドコンピューティング／オンラインストレージ／クラウド事業者／データセンター

［デメリット］

手元にない分、
外部からの攻撃に
さらされる危険性がある

万が一、端末が壊れてもクラウド上に
データが保存されていれば、データを復元できる

仮想化

限られたリソースを有効かつ最適に使う仕組み

仮想化とは、実際にはない「もの」をソフトウェアによって作り出すことである。仮想化により、物理的には1台しかないハードウェアを複数あるように見せかけることができる。複数のハードウェアを仮想化により統合し、1台のように見せかけることもできる。

クラウドコンピューティングを始め、コンピュータの利用には、CPU、メモリ、OS、ストレージ、サーバコンピュータなど様々なリソース（資源）が必要となる。仮想化は限られたリソースを効率よく使うための仕組みである。

クラウドコンピューティングでは、仮想化により、物理的には1台のサーバコンピュータ上に、仮想的に複数のコンピュータ（仮想マシンという）を作り出している。この仕組みにより、複数のユーザが共有できる。仮想的なサーバを作り出すことから、サーバ仮想化という。

仮想化する対象により様々な仮想化が存在し、デスクトップ仮想化、アプリケーション仮想化などがある。デスクトップ仮想化とアプリケーション仮想化は、デスクトップやアプリケーションをサーバ側で管理し、ユーザの利用環境に合わせたデスクトップやアプリケーションを仮想的に作り出して提供するものである。

KEYWORD
仮想化／サーバコンピュータ／仮想マシン／サーバ仮想化／デスクトップ仮想化／アプリケーション仮想化

コンピュータは1台しかないけど、それぞれ使いたい用途が違うとき…

用途に合わせて
コンピュータを分割して（いるように）
利用することができる！

個人情報

「アナタ」を特定する大事な情報

現在の情報社会では、大量の個人情報が収集され、様々な目的に利用されている。個人情報の不適切利用、流出事件の頻発などから、個人情報を適切に管理しようという動きが国内外で高まっている。EU（欧州連合）におけるGDPR施行はその1つである。

現在の情報社会において、とくに価値の高い情報が個人情報である。GAFAを始めとするプラットフォーマーを始め、多くの企業が大量の個人情報を得ることで利益を得ている。

個人情報の提供により無料サービスの利用や、自身に適した商品やサービスの提案を受けることができるが、提供後の個人情報がどのように管理されるかは、提供した本人は把握できない。個人情報が適切に扱われないとプライバシーが侵害されることにもつながる。

2018年に欧州で、個人情報の取り扱いをより厳格に規制するためのGDPR（General Data Protection Regulation、日本語では一般データ保護規則）が施行された。個人情報を本人が管理する権利が明文化され、EU域外への個人情報の移転を厳しく制限しているのが特徴である。違反に対しては高額（最大全世界年間売上高の4％）の制裁金が課される。

生体認証

身体情報を利用して安全性を高める

犯罪の証拠に指紋が採用されるように、指紋は個人特有のものである。コンピュータやシステム、サービスにログインするために、利用者の指紋などが利用されることがある。このように個人特有の身体情報を認証に用いる方法を、生体認証という。

コンピュータやシステム、サービスへのアクセスには、認証が必要である。多くの場合、IDとパスワードの組み合わせが認証情報として利用されているが、パスワードを使用しない認証方法の採用が増えている。その1つが生体認証である。

生体認証には、指紋、指や手のひらの静脈のパターン、瞳の虹彩や網膜などの生体情報が利用される。歩き方、瞬きといった身体の動き、筆跡、声紋が利用されることもある。

パスワードは本人しか「知らない」はずの情報、生体認証は本人しか「持ち得ない」はずの情報である。

生体認証は、生体情報をコンピュータやシステムの認証システムに登録し、ログイン時に照合することでログインを許可する。身近なところではスマートフォンやパソコンのログイン時、銀行のATM、入出国管理などで利用される。

KEYWORD

認証／生体認証／生体情報／指紋／静脈パターン／虹彩／網膜／認証システム

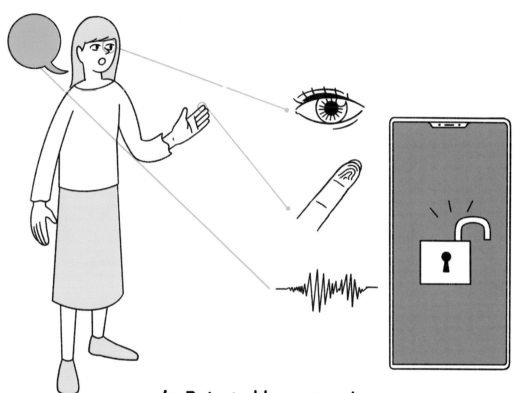

自分しか持っていない
固有の情報を使うことで
セキュリティのレベルを上げる

GPS
ジーピーエス

いまいる場所がなぜわかる？

GPS（Global Positioning System）は、人工衛星を使って現在地を測位するための
グローバル　　ポジショニング　　システム
システムで、全地球測位システムという。専用のGPS衛星が発する信号をGPS受信
機で受け取り、現在地の緯度経度情報などを割り出す。米国が運営している。

　GPSは、もともと米国が軍事用に開発した
もので、30機程度のGPS衛星が打ち上げられ、
高度2万kmの軌道を回っている。このうち、
上空にある数機から衛星の位置を知らせる
GPS信号を受け取り、現在地を測位する。
GPS受信機はスマートフォンやカーナビ、IoT
デバイスなどに搭載されている。
　Googleマップのような地図アプリで現在い
グーグル
る場所の周辺の情報を調べたり、目的地までの

経路や時間を調べたりするには、現在地を知る
必要があり、GPSが利用される。
　ポケモンGOのような位置情報ゲームで遊ん
ゴー
だり、紛失したスマートフォンを探したりする
場合にも、GPSが利用される。一方で、SNSに
エスエヌエス
投稿された写真に位置情報が埋め込まれ、住所
などプライバシー情報が漏れる危険性がある。
　2018年から、日本版GPSといわれる「みち
びき」の運用が開始されている。

KEYWORD

GPS ／人工衛星／ GPS 受信機／カーナビ／ IoT デバイス／地図アプリ／位置情報ゲーム／みちびき

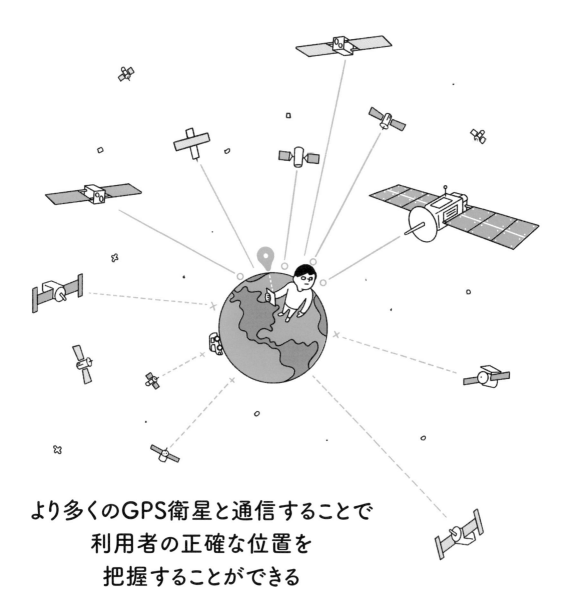

より多くのGPS衛星と通信することで
利用者の正確な位置を
把握することができる

半導体

ITの基礎となる鉱物

半導体は、電気を通す性質と電気を通さない性質の、2つの性質を持つ物質である。コンピュータは、0か1の値のみですべての情報を処理する。0か1の情報を伝えるために、半導体が持つ電気を通す（オン）、通さない（オフ）という性質を利用する。

金属のように電気をよく通す物質を「導体」、セラミックやガラスのように電気をほとんど通さない物質を「絶縁体」という。

半導体は、導体と絶縁体の中間的な性質を持ち、あるときは電気を通し、あるときは電気を通さない物質である。電気抵抗（電気の流れやすさを表す数値）が大きくなると電流が流れにくくなり、電気抵抗が小さければ流れやすくなる。

半導体の材料には、シリコン（元素記号はSi）やゲルマニウム（元素記号はGe）などがあり、現在はシリコンが最も多く利用されている。

半導体を使ってトランジスタやIC（集積回路）などの電子部品が作られている。

半導体は、スマートフォンやパソコンなどのコンピュータを始め、ゲーム機、テレビ、冷蔵庫、LED電球、自動車、医療機器など様々な電化製品に利用されている。

KEYWORD

半導体／導体／絶縁体／電気抵抗／シリコン／ゲルマニウム／トランジスタ／ IC ／電子部品

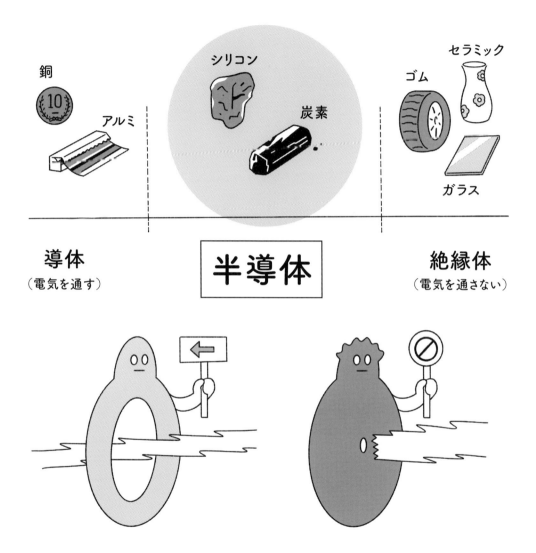

銅

アルミ

シリコン

炭素

ゴム

セラミック

ガラス

導体
（電気を通す）

半導体

絶縁体
（電気を通さない）

半導体は条件によって、電気を通したり通さなかったり…

プログラミング

コンピュータにやってほしいことを命令する

プログラミングとは、コンピュータを動かすためのプログラムを作ることである。人間がコンピュータに何か処理をさせるとき、すでに存在するプログラムがあればそれを使用すればよいが、なければプログラミングでプログラムを新しく作る必要がある。

プログラミングとは、人間の意図した通りの処理を行うようにコンピュータに指示を与える行為のことをいう。

コンピュータが理解できるのは、0または1の2種類の数字だけであり、これを機械語という。機械語で人間がプログラムを作ることは難しいため、人間がプログラミングしやすいようにプログラミング言語を使用する。

プログラミング言語で記述したプログラムの文字列はソースコードと呼ばれる。プログラミングではプログラミング言語の「語彙」や「文法」に従ってソースコードを書き、ファイルの状態で保存する。プログラミング言語で記述されたプログラムはコンピュータが理解できる機械語に変換されてから実行される。

プログラミング言語には、C言語やC++、Java、Python、Rubyなど多数の種類があり、用途により使い分けられる。

KEYWORD

プログラミング／プログラム／機械語／プログラミング言語／ソースコード

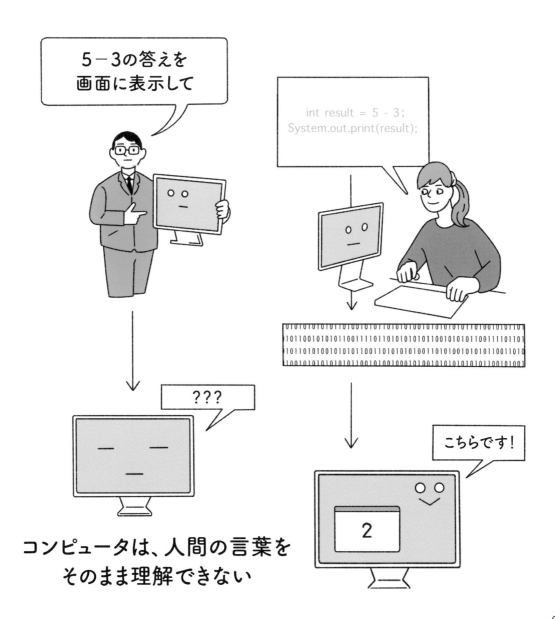

C言語、C++
古典的な言語たち

C言語は、1970年代に開発された命令型のプログラミング言語である。Perlを始め多くの言語がC言語をベースにして作られている。UNIXというOSもC言語で書かれている。C++は、C言語をオブジェクト指向の考え方に対応させた言語である。

　古くから存在するC言語は、プログラマーが記述しなければならないことがらが多く、難易度は高い。一方で自由度や汎用性が高く、何でもできるプログラミング言語であるといえる。対応する機器の範囲が広く、スーパーコンピュータに使われることもあれば、家電や工場の機械などで動く組み込みソフトを記述するためにもよく使われている。

　C++はC言語の進化系であり、やはり難易度が高いのが特徴である。大規模システムや高性能を要求されるプログラムにも多く使われている。オブジェクト指向プログラミングにも対応しているが、Javaが出現し、オブジェクト指向開発言語の主流ではなくなっている。オブジェクト指向プログラミングとは、データとそれを処理する方法（手続き）を「オブジェクト」という単位でひとまとめにし、それらを組み合わせてプログラムを記述する手法である。

KEYWORD

プログラミング言語／C言語／命令型／Perl／UNIX／C++／Java／オブジェクト指向

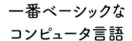
一番ベーシックな
コンピュータ言語

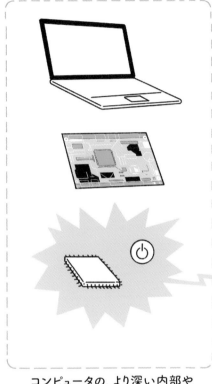

コンピュータの、より深い内部や
仕組みを操作することができる

Cの息子のC++　　　C++のいとこのC#

Java
ジャバ

オブジェクト指向言語の代名詞

1995年に登場したJavaは、C言語やC++をベースに開発されたオブジェクト指向プログラミング言語である。当初は限定的な用途に利用されていたが、Webブラウザ上にアニメーションを描くなど様々な方面で活用されている。

Javaは、コンピュータの機種やOSの種類などに限定されることなく、異なる環境でも同じようにプログラムが動くように開発された。家電などの組み込みシステム、ゲームソフト、スマートフォンのアプリ、銀行の基幹系システムなど、多くのソフトウェアがJavaを利用して作られている。

Javaはもともとsun Microsystems社が開発し、オープンソースソフト(ソースコードが無償で開発・公開され、自由に改変や再配布できるソフトウェア)として発展させてきた。その後、同社はOracle社に買収された。Oracle社がJavaの開発を続け、当初の「オープンソース」の定義があいまいになってきている。

GoogleのAndroidもJavaを利用して開発された。Oracle社はGoogle社に対し、特許権と著作権侵害に基づく訴訟を起こし、裁判が続けられている。

KEYWORD
プログラミング言語／ Java ／オープンソースソフト／ Android

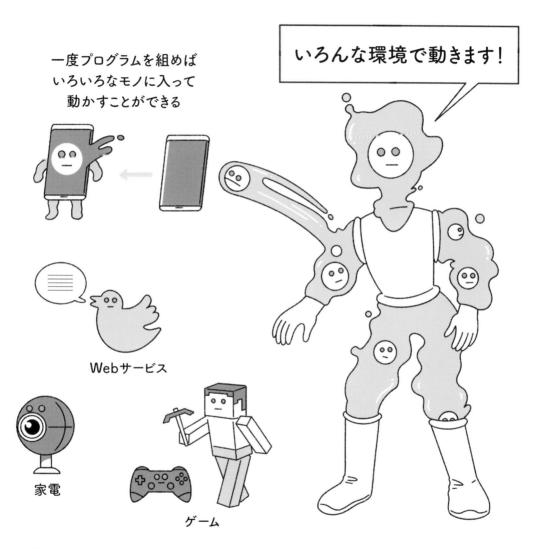

一度プログラムを組めば
いろいろなモノに入って
動かすことができる

いろんな環境で動きます！

Webサービス

家電

ゲーム

様々な場面で使われている

Python

AIの分野で実績のある言語

Pythonは、1991年に登場したプログラミング言語である。習得や記述の難易度が高いC言語などと比べると、シンプルな構造で記述しやすいという特徴がある。豊富な機能を提供するライブラリを活用することにより、幅広い用途に利用できる。

Pythonは、無償で利用できるオープンソースのスクリプト言語で、非常に高度かつ実用的、学術的な言語である。スクリプト言語とは、わかりやすくシンプルな構造が特徴である軽量のプログラミング言語のことである。

Pythonの特徴の1つが、広い範囲の分野で使える豊富なライブラリが提供されていることである。ライブラリは特定の機能を果たすプログラムを複数まとめておき、呼び出して使えるようにしたものである。複雑で重要な処理は、ライブラリの呼び出しによって行うことができるので、多くのソースコードを記述しなくても様々な処理を実現することができる。たとえば、ディープラーニング（深層学習）の処理は、TensorFlowという名称のPythonライブラリが処理を担う。そのため、TensorFlowはディープラーニングや機械学習の代名詞とされている。

KEYWORD

プログラミング言語／ Python ／スクリプト言語／ライブラリ／ TensorFlow ／ディープラーニング／機械学習

Pythonには、実用的なライブラリ
（目的に合わせて使い分けるコードのセット）が
多く使いやすい

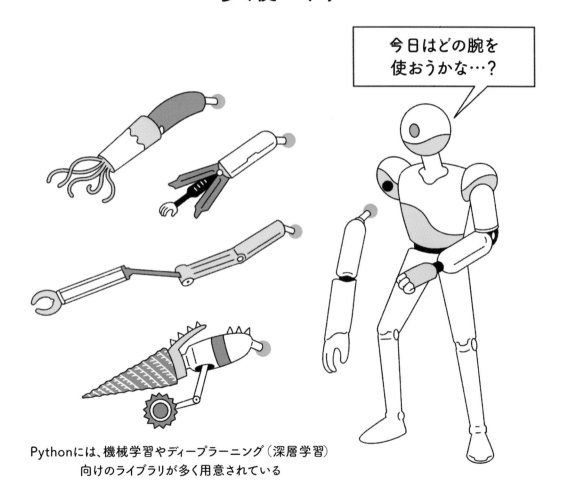

Pythonには、機械学習やディープラーニング（深層学習）
向けのライブラリが多く用意されている

JavaScript

ジャバスクリプト

アクションにアクションで返す言語

WORD
35

JavaScriptは、Webブラウザなどでの利用に適したプログラミング言語。これを利用するとインタラクティブ（対話するように操作できる形式）な表現が可能になる。Webページに組み込まれたJavaScriptのプログラムがWebブラウザ上で実行される。

本来、ユーザがWebブラウザ上で何らかの操作を行うと、Webサーバが処理を実行し、その結果をWebブラウザに返す。Webページ内の一部分をほんの少し変化させるような小さな処理でもこのやり取りを行うので、結果が表示されるまでに待ち時間などが生じ、Webサーバにも負荷がかかっていた。JavaScriptは、WebブラウザのUI（ユーザインターフェース）に革命をもたらした言語である。

JavaScriptは、Webサーバを介さずにWebブラウザ上で処理を実行することができるのが特徴である。これにより、ユーザの操作に対して迅速に反応して対応することができ、動きのあるリッチなコンテンツを実現可能にしている。たとえば、画面上で地図を動かす、時刻のリアルタイム表示などが可能になった。

なお、JavaScriptは名称にJavaを含むが、Javaとの関連性はない。

KEYWORD

プログラミング言語／JavaScript ／ Webブラウザ／ Webページ／インタラクティブ／ UI ／ Webサーバ

JavaScriptは、ユーザの行動に対してリアクションするのが、得意

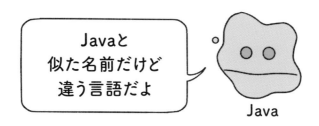

Ruby
ルビー
ニンゲンにやさしい言語

Rubyは、日本人のまつもとゆきひろ氏が開発したプログラミング言語である。誰もが使える親しみやすい言語として、世界中で使われている。現在はPythonが簡単なプログラミング言語として知られるが、Pythonの流行前はRubyの人気が高かった。

Rubyの特徴は、シンプルな構文や文法で、読みやすく書きやすい点にある。Webのサービスやスマートフォンのアプリ、ゲームを作る際にも利用されている。プログラミング言語のPerlにインスパイアされ、Perlの発音が真珠のPearlと同じであることから、宝石のRubyが名前に付けられた。

Perlはプログラミング言語としては革命的で、「プログラミングとは、使途を明確にし、厳密な文法に従わなければならない」とするエンジニア原理主義的な考えを覆し、「やり方は何通りもある」という思想に基づき開発された。Rubyもその流れを受け継いでいる。Rubyを使ったWeb開発フレームワーク（Webサービスを開発するための基盤となるソフトウェア）として、Ruby on Railsがある。Ruby on Railsを利用すると、巨大なECサイトを少ない工数で構築することができる。

KEYWORD

プログラミング言語／ Ruby ／まつもとゆきひろ／ Perl ／ Web 開発フレームワーク／ Ruby on Rails

Rubyを使うことで、プログラマーは対話をするようにコードを書いていくことができる

スクラッチ
Scratch
視覚的にプログラミングを体験できるツール

Scratchは、子どもたちがプログラミングを楽しく学べるようにというコンセプトで開発された教育用のプログラミングツールである。画面上のブロックを積み木のように組み立てていくとプログラムが完成する。論理的思考の教育にも使われている。

Scratchは、米国のマサチューセッツ工科大学（MIT）の研究チームによって開発された。MITのScratchのWebサイトで提供されている。Webブラウザ上で動作するので、タブレットやパソコンなど様々なデバイスで動かすことができる。

通常のプログラミング言語は文字入力をベースとするが、Scratchは視覚的にプログラムを作ることができる。「一歩進む」「左へ曲がる」「右へ曲がる」「◯回繰り返す」といったブロックをジグソーパズルのように組み合わせてプログラムを書いていくことができる。ブロックの種類がたくさんあり、形状や色で使い方を見分けることもでき、自分で新しいブロックを作ることもできる。「ソースコードを記述する」プログラミングではないが、プログラミングに必要な思考やクリエイティブな発想力を養うことに主眼を置いているのが特徴である。

KEYWORD

Scratch ／プログラミングツール／マサチューセッツ工科大学／論理的思考／クリエイティブな発想力

アルゴリズム

問題を解決するための手順

ある問題を解決したり課題を実行したりするための手順をアルゴリズムという。コンピュータの場合は、計算するときの手順がアルゴリズムで、アルゴリズムを検討してからプログラムを作る。良いプログラムを作るには、良いアルゴリズムが必要である。

アルゴリズムは、何か物事を行うときの「やり方」や「手順」である。手順に従って行う料理や洗濯などもアルゴリズムであるといえる。

アルゴリズムでは、処理の1つ1つを順に並べる。コンピュータのプログラムでは、あいまいさのない、最適な順序にする必要がある。アルゴリズムができたら、通常はフローチャート（流れ図）によって表現する。その後、アルゴリズムをプログラミング言語で表現してプログラムを作っていく。

ある問題を解決するためのアルゴリズムは、1つだけとは限らない。たとえば、あるアルゴリズムでは膨大な回数の計算を行わないと答えが出ないが、別のアルゴリズムでは数回の計算で答えが出ることがある。

プログラムはアルゴリズムをもとに作るので、アルゴリズムにより、プログラムのサイズ、計算時間が異なることになる。

KEYWORD

アルゴリズム／プログラム／フローチャート／プログラミング言語

課題：ゴールにたどり着け

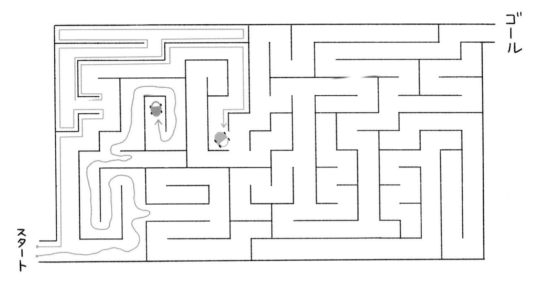

スタート

アルゴリズムA
「常に左側の壁をさわりながら進め」

アルゴリズムB
「分かれ道ではランダムに進め
行き止まったら分かれ道まで戻り、後方の道には二度と戻らない」

より確実に、スマートにゴールに行ける
アルゴリズムが優れたアルゴリズムであるとされる

システム設計

アプリが開発されるまでの手順

アプリの開発には時間とコストがかかる。できるだけ無駄な作業を行わないで済むように、最初に設計図を作っておく必要がある。大規模で複雑なシステムを開発する場合は、システム設計がシステムの使いやすさを決定する上で大事な工程となる。

システムの開発においては、プログラミング（プログラムを作ること）が大きなウェイトを占めるが、やみくもにプログラムを作るということはしない。システムの開発は通常、開発プロセスに沿って進められる。

開発プロセスは、はじめに、実際にシステムを使う人の要求や要件（何のためにシステムを使うのか、どのように使うのか、いつまでに必要か、など）を確かめて、開発の計画を立てる。

次に、システム設計に入り、システム全体の設計書（どのような機能、構成にするか、など）を作る。ここで作った設計書をもとに、プログラム設計を行う。プログラム設計では、どのプログラミング言語を使用するか、どのようにプログラミング（プログラムを作ること）を進めるかを決めていく。この後にようやくプログラミングの工程に入っていき、様々なテストを経て実際に運用されるようになる。

KEYWORD
システム開発／開発プロセス／設計書／プログラム設計／プログラミング言語／プログラミング

1.計画立案

どんなものを
作りたいのか

2.分析

どんな機能が
求められているか

3.設計

どの言語を使い
どうやってシステムを作るか

4.構築

コードを書いていく

5.テスト

機能は正常に
作用しているか?

6.保守

バグはないか?
新たな要素は必要ないか?

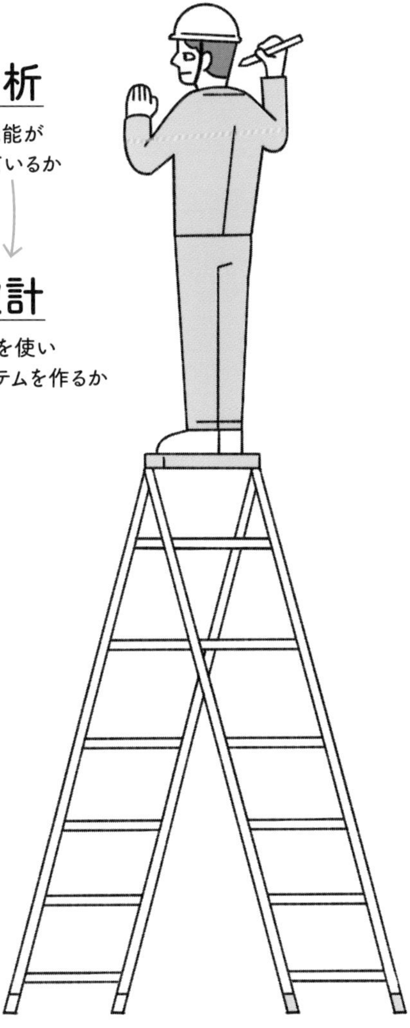

アジャイル開発

ソフトウェア開発には俊敏さが求められる

アジャイル開発は、ソフトウェアを開発するときの手法の1つである。ソフトウェア全体を小さな機能に分割して少しずつ開発していく。アジャイル（agile）とは、「素早い」「俊敏な」の意味で、ソフトウェアに求められる要件の変更に柔軟に対応できる。

従来から利用されてきたソフトウェアの開発手法にウォータフォール開発がある。

ウォータフォール開発では、ソフトウェアの要件（目的や用途など）の決定、設計、プログラミング、テストという段階を区切ってスケジュールを決め、後戻りしないように管理しながら開発を進めていく。

ウォータフォール開発では、途中で問題点が発見されると大きな手戻り作業が生じる。

これに対しアジャイル開発では、小さな機能ごとに要件決定、設計、プログラミング、テストのプロセスを実施する。小さな目標を少しずつ達成することで完成に近づけていくので、開発途中で見つかった問題点の修正、要件の変更や追加にも柔軟に対応することができる。

一方で、完成時期が読みづらく、最初に定めた仕様書から大きくそれてしまうという危険性もある。

KEYWORD

ソフトウェア開発／アジャイル開発／ウォータフォール開発

何度も地図を確認しながら
進むアジャイル開発は、
周囲の変化に
対応しやすい

ウォータフォール開発は、
最初にゴールまでの地図を用意し、
一気に進む。
予想外の出来事に弱い

2進法、文字コード

0と1だけの情報は誰がどう使う?

コンピュータでは、すべての情報を0または1で表現し、写真も音楽も映像も0と1の塊でできた集合体となる。文字は、1つ1つに文字コードという番号が割り当てられて表現される。0と1の2つの数字を使って数値を表現する方法を2進法という。

コンピュータは、電流が流れているか流れていないかで0または1の状態を判断する。電流が流れていれば1、流れていなければ0である。そのため、すべての情報は、コンピュータが判断できるように0または1の数字を使う2進法で置き換えられる。2進法では1桁で2通りの状態(0または1)を表現することができる。2桁では4通り(00、01、10、11)、3桁では8通り(000、001〜110、111)と、桁が増えるご

とに表現できる数が倍に増えていく。

記号、数字を含む文字の場合は、文字コード体系を使用する。

文字コードは、ある文字の集まり(文字集合)に対して体系的に番号を割り当てている。たとえば、古くから利用されているASCIIという文字コードは、英数字と記号を、2進法の7桁(7ビットという)を使って表現する。アルファベットのAは1000001、Bは1000010である。

KEYWORD
2進法／文字コード体系／ASCII

すべてのデータは1と0で
表すことができる

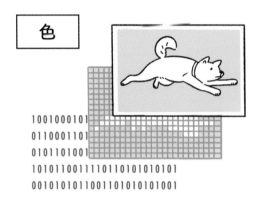

色

1001000101
0110001101
0101101001
101011001111011010101010101
00101010110011010101001001

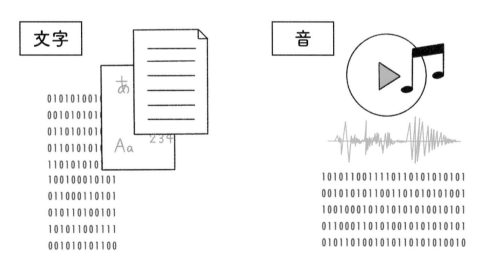

文字

010101001
001010101
011010101
011010101
110101010
100100010101
011000110101
010110100101
101011001111
001010101100

音

10101100111101101010101
001010101100110101010101001
10010001010101010100101
011000110101001010101011
01011010010101101010010

情報量の単位

ビット、バイトは何を表すもの？

コンピュータが扱う情報量の最小単位をビットという。1ビットが表すことができるのは0または1の2通りである。ビットよりも大きな単位のバイトを使用する例もあり、通常は8ビットを1バイトとしている。

1ビットは、数値を2進法で表現した場合の1桁に相当する。8ビット（2進法の8桁）では、00000000 〜 11111111の256種類の情報を表すことができる。ビットが1増えるごとに表現できる情報の量が増えていく。

8ビット＝1バイトのバイトという単位も使用されている。バイトは、記憶メディアの容量を表すためによく使われる。省略表記の場合、ビット（bit）は小文字のb、バイト（byte）は大文字のBを使用することが多い。

情報量が大きくなると、キロ（k）、メガ（M）、ギガ（G）、テラ（T）などの接頭辞を利用し、1GB（ギガバイト）のように表す。1,000 ＝ 1k、1,000k ＝ 1M、1,000M ＝ 1G、1,000G ＝ 1Tである。

記憶メディアの容量を表す場合は、2^{10} ＝ 1,024 ＝ 1K、1,024K ＝ 1M、1,024M ＝ 1G、1,024G ＝ 1Tという接頭辞が使われる。

KEYWORD
ビット／バイト／2進法／記憶メディア／キロ／メガ／ギガ／テラ

0か1を入れることができる箱の情報量

1ビット

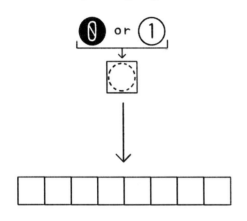

8ビット＝1バイト

8ビットの中でできる0と1の
組み合わせの数は256通り

囲碁盤は
19×19＝361ビット

1,024バイト＝1キロバイト
1,024キロバイト＝1メガバイト

解像度

画素数と見え方の関係

コンピュータやスマホの画面は、小さな点々で構成されている。1つ1つの点（ドット）のことをピクセルまたは画素といい、色と明るさが設定される。多数のピクセルが集まることで画像に見える。ピクセルの数が多いとその分画像が細やかに見える。

コンピュータやスマホのディスプレイ画面のサイズにはいろいろある。同じ画面サイズであれば、ピクセルの数が多くなると画像はきめ細かくはっきり見え、少なくなるとぼやけて見える。

画像の細かさを数値で表したものを解像度という。解像度は、1インチ（2.54cm）当たりのピクセルの数でppi（pixels per inch）という単位で表す。数値が大きいほど解像度が高く、きめ細かでクリアな画像になる。

画面の解像度には複数の種類があり、近年はより高精細になる傾向にある。高精細度テレビのHD（ハイビジョン）の画素数は1,280×720だったが、フルHD（2K）では1,920×1,080となり、テレビ放送が始まった4K（ウルトラHD）は3,840×2,160、8K（スーパーHD）は7,680×4,320で、それぞれフルHD（2K）の4倍、16倍と解像度が高くなっている。

KEYWORD

ピクセル／解像度／4K ／8K ／ウルトラHD ／スーパーHD

絵がクッキリと見えるかどうかは画素数で決まる

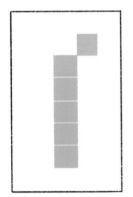
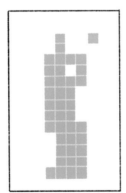

低 ⟵ 解像度 ⟶ 高

符号化、PCM
ピーシーエム

アナログデータとデジタルデータの関係

音声などのアナログデータは連続的な情報であり、これをコンピュータで扱うには、連続的な情報が切り捨てられたデジタルデータに変換する必要がある。アナログデータをデジタルデータに変換する際には、標本化、量子化、符号化の処理が行われる。

　音声を例にすると、標本化（サンプリング）では、アナログの音の波形から、横軸（時間）に沿って一定の間隔（1秒間を44,100回に区切るなど）で波の高さ（信号の大きさ）を読み取る。次の手順の量子化では、縦軸をいくつかの段階（目盛り）に切り分けて、標本化で読み取った値を最も近い段階の値で表す（近似値化する）。量子化で得られた値を、符号化では0と1の2進法で表現する。

　このように、音の波形からデジタルデータに変換する方式をPCM（Pulse Code Modulation、日本語ではパルス符号変調）という。PCMにより、アナログではスムーズだった音の波形が角のあるカクカクとした形に変わる。角の刻みがより細かくなると元の音質に近くなるが、データ量は大きくなる。反対に角の刻みが大きいと、データ量は小さくなるが、元の音質から遠くなる。

KEYWORD
アナログデータ／デジタルデータ／標本化（サンプリング）／量子化／符号化／ PCM ／データ量

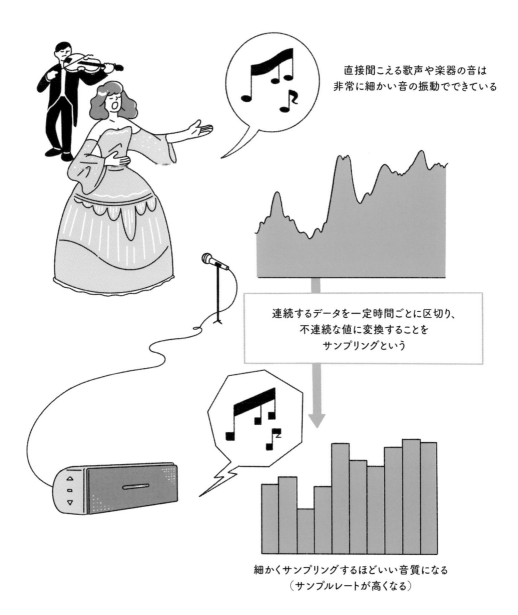

直接聞こえる歌声や楽器の音は
非常に細かい音の振動でできている

連続するデータを一定時間ごとに区切り、
不連続な値に変換することを
サンプリングという

細かくサンプリングするほどいい音質になる
（サンプルレートが高くなる）

拡張子

このファイルはテキスト？ 画像？ プログラム？

コンピュータで扱うデータやプログラムは、ファイルという単位でまとめて保存される。どのファイルが何のためのものかわかるようにファイルには名前が付けられる。ファイル名の末尾には、ファイルの種類や形式を表すために拡張子が付けられる。

拡張子とは、music1.mp3、picture1.jpgといったファイル名の末尾にあるmp3やjpgの文字列のことである。ファイル名と拡張子とはピリオド（.）で区切る。

拡張子は、ファイルの種類や形式によって決められている。テキストファイルはtxt、PDFファイルはpdf、HTML文書はhtmlである。

画像や音声、動画のようにファイル形式が複数あるものは、異なる拡張子が使われる。たとえば画像を表す拡張子にはjpg、gif、png、bmpなど、音声だとmp3、m4a、aac、wavなどがある。

Windowsなどでは、ファイルを開くように指示すると拡張子をもとに対応するアプリケーションソフトが自動的に起動するように設定されている。拡張子に対応するアプリケーションソフトは、ユーザが指定することができる。

KEYWORD

拡張子／ファイル／ txt ／ pdf ／ html ／ jpg ／ gif ／ png ／ bmp ／ mp3 ／ m4a ／ aac ／ wav

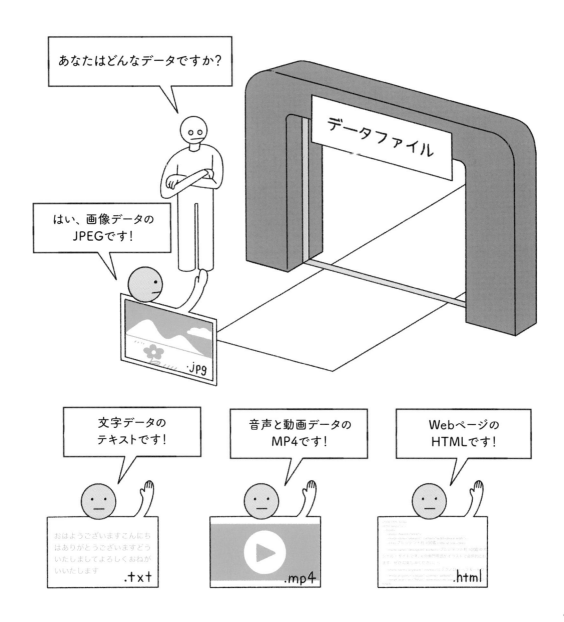

圧縮

データのサイズを小さくする技術

一定の手順に従って計算を行い、データのサイズを小さくすることを圧縮という。同じ内容の情報をより小さいサイズで表現することができ、同じサイズの記憶装置により多くのデータを保存できる。また、インターネットで送信する時間を短縮できる。

画像や映像、音声、プログラムなどが高精度、高機能になればなるほど、データのサイズは幾何級数的に大きくなる。一方で、データを収容する記憶装置（メモリやストレージ）の容量や通信速度には限界がある。そこで、データのサイズを小さくする技術である圧縮技術が発達した。

圧縮したデータは圧縮したときと逆の手順で計算を行い、元に戻す。これを伸張や解凍とい

う。圧縮技術には元に戻すことができる圧縮（可逆圧縮という）もあれば、元に戻すことができない圧縮（不可逆圧縮、非可逆圧縮という）もある。

不可逆圧縮は、データを小さくして質を落としても実用的には困らない画像、動画、音声などに使われている。たとえば、JPEGは元の画像を圧縮して表現する形式、MP3、AACは元の音声を圧縮して表現する形式である。

KEYWORD

圧縮／記憶装置／可逆圧縮／不可逆圧縮／画像／動画／音声／JPEG ／ MP3 ／ AAC

大きいデータは
送信しづらい

圧縮して小さくすれば
送りやすい

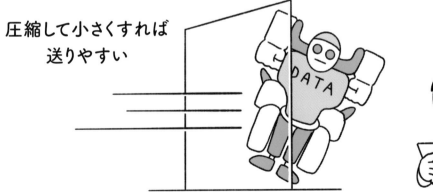

フォント

同じ文字でもデザインによって印象が変わる

ゴシック体や明朝体など、同じデザインで作られた文字の形の集合のこと。書体ともいう。コンピュータで画面に文字を表示したり印刷したりするには、文字コードからどの文字を表示・印刷するかを特定し、フォントに基づき1つ1つの文字の形を表す。

フォントには多くの種類があり、ゴシック体や明朝体では同じ文章でも印象が変わる。可読性（読みやすさ）もフォント次第で大きく異なり、そのため、見出しにはゴシック体、本文には明朝体が使われることが多い。ゴシック体をサンセリフ書体、明朝体をセリフ書体ともいう。セリフは文字の線の端に付けられる飾りのことである。

同じフォントでも太さが異なるとやはり印象が変わる。フォントの太さのことをウェイトといい、細いほうからライト、ミディアム、ボールドのようにいう。

コンピュータが登場した当初は、文字の形を点の集合で表すビットマップフォント（拡大するとギザギザして見える）が使用されてきた。現在では、縮小拡大しても文字の形が大きく変わらないスケーラブルフォントを使用することが多い。

KEYWORD

ゴシック体／明朝体／書体／文字コード／フォント／ビットマップフォント／スケーラブルフォント

フォントを変えるだけで文字の印象が大きく変わる

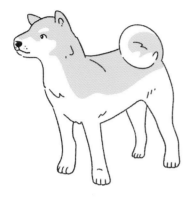

DOG

DOG

DOG

DOG

キャッシュ

すぐ使うものはすぐ使えるところに置いておく

すぐ使いたいデータは使いやすいところに置いておくと作業効率が良くなる。コンピュータ内やネットワーク上で、一度読み込んだデータやよく使うデータなどをすぐ使える場所に複製して保存しておく仕組みがある。これをキャッシュという。

キャッシュは、「隠し場所」（英語でcache）の意味である。保存されたデータそのものや、保存しておく場所を指すこともある。処理を高速に行うため、通信量の削減など、様々な目的、様々な場所でキャッシュは利用されている。

Webブラウザのキャッシュは、一度閲覧したWebページのデータを保存しておくために使われる。再度同じWebページを閲覧するときに、キャッシュにデータがあれば、再度同じデータをダウンロードせずに済む。

コンピュータで使用中のアプリケーションが使うデータをメインメモリ（主記憶装置）に置いておくこともキャッシュである。通常、データが保存されているHDDなど外部記憶装置は低速で、メインメモリは高速である。

CPUはメインメモリにデータを置いておくことで、処理の高速化を図っている。CPU内にもキャッシュの仕組みは利用されている。

KEYWORD

キャッシュ／高速化／通信量／Webブラウザ／メインメモリ／HDD／CPU

WORD
49

アフィリエイト

Webの広告で成功報酬が支払われる仕組み

Webサイトやブログ、SNSなどに掲載されている広告をクリックすると、リンク先の販売サイトに移動する。そこで買い物を行うと、リンク元の広告を掲載していた人に成功報酬が支払われる。これをマーケティング手法の1つでアフィリエイトという。

アフィリエイト(affiliate)とは「提携する」という意味である。検索などでWebサイトやブログ、SNSを見に来る人は、そこに掲載されている情報に興味を持っていると推測される。これらの情報に関連の深い商品の広告を掲載すると、ターゲットが絞られた人たちにアプローチすることができ、効率的な広告となる。そこで生まれたのがアフィリエイトで、Webサイトやブログ、SNSなどにアフィリエイト広告を掲載する人をアフィリエイターという。

広告主は、アフィリエイトを仲介するASP（アフィリエイトサービスプロバイダ）を介してアフィリエイターに広告を提供する。アフィリエイト広告を見た消費者が、広告主に商品を発注する。広告主は商品を発送して代金を受け取り、アフィリエイターにはASPを通して成功報酬が支払われる。これで「四方良し」のウィン・ウィン・ウィン・ウィンとなる。

KEYWORD
アフィリエイト／広告／成功報酬／ターゲット／アフィリエイター／ASP

111

SEO
エスイーオー

Webで検索されやすくする手法

検索サービスでは、検索結果の上位に表示されるWebサイトのほうがアクセスされやすい傾向がある。特定のWebサイトが検索結果の上位に表示されるよう、様々な工夫をWebサイトに施す手法をSEO（Search Engine Optimization）という。

　検索サービスを提供するGoogleなどには、検索エンジンというプログラムが存在する。検索エンジンは、インターネット上に存在するWebサイトの情報を収集し、独自のアルゴリズム（計算手順）を使ってこれらの情報を整理する。その上で、検索キーワードに対して最も適切と判断する検索結果を提供している。

　企業などでは検索結果の上位に自社サイトを表示させるために、SEOの手法をとり入れたり、SEO専門の業者に依頼したりする。

　SEOの手法としては、別のサイトから自社サイトへのリンクを増やす、自社サイトが検索されやすくなる検索キーワードを選択し、キーワードに合わせたコンテンツを追加する、キーワードをサイト内に多く埋め込むなどがある。しかしながら、検索エンジンのアルゴリズムは非公開で常に変更されているため、確実に上位に表示させることができる手法は存在しない。

KEYWORD

検索サービス／ SEO ／ Google ／検索エンジン／アルゴリズム／検索キーワード

対策をしているサイトほど
上位の検索結果に出る
可能性は高くなる

おいしいレストラン

検索しても出てこない、
いいレストランも
もちろんたくさんある

ディープ^{ウェブ}Web

検索エンジンでは発見できない情報

Googleなどの検索エンジンを利用すると、誰でも世界中の情報にアクセスすることができるが、検索エンジンで見つけることができる情報は全体の一部である。通常の検索エンジンではたどり着けないWeb上の情報をディープWebや深層Webという。

検索エンジンではクローラーというプログラムがWebの世界を巡回し、情報を収集する。クローラーはWeb上の情報すべてを収集できるわけではなく、アクセスが制限されているなどの理由で検索ができない情報もある。ログインしないと閲覧できない会員サービスのページ、SNSの個人ページ、企業の機密情報などは検索しても見つけることができないディープWebである。

ディープWebは、インターネット上の情報のうち約9割を占める。これに対し、検索エンジンが収集できる情報をサーフェスWebや表層Webという。ディープWebの一部にダークWebと呼ばれるインターネットの裏社会があり、「闇サイト」として犯罪、違法行為の温床となっている。特殊なURLの直接入力、専用の閲覧ソフトによりアクセスが可能であり、複数のサーバを経由するので匿名性が高い。

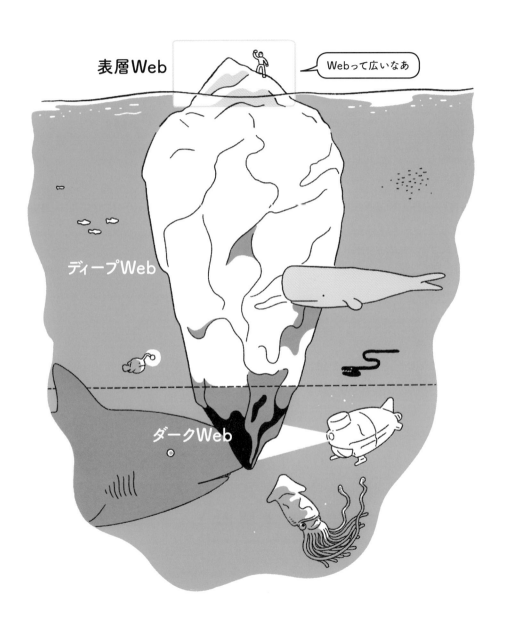

データマイニング

データを掘り起こして「金」を見つける

マイニング（mining）は、鉱山から役に立つ鉱物を掘り出すことを指す。「採掘」の意味をITにおけるデータに当てはめたのが、データマイニングである。大量のデータを掘り起こし、それまで発見されていなかった役に立つ知見を得ることができる。

データマイニングは、将来の行動予測に役立つ隠されたパターンをデータの中から発見する手法である。もともとマーケティングのために行われた手法で、データを分析した結果、「紙おむつとビールを一緒に買う人が多い」という傾向を発見し、売り場作りに役立てたという逸話が残っている。

現在のデータマイニングは、より範囲を広げ、Webなどから吸い上げたビッグデータに機械学習を適用したり、統計分析を行ったりして、新しい知見を得ることを目指している。

マイニングは行う対象により、いくつかの種類に分けられる。テキストデータを対象とする場合はテキストマイニング、Webを対象とする場合はWebマイニングという。

なお、仮想通貨で新たなブロック（取引データ）を生成し、その報酬として仮想通貨を手に入れる行為もマイニングと呼ばれる。

KEYWORD
マイニング／データマイニング／テキストマイニング／ Webマイニング

膨大なデータを
採取・分析

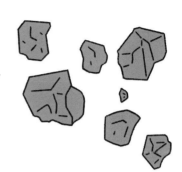

余分な情報を
落として磨く

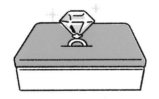

貴重な情報として
扱われる

117

通信プロトコル

WORD 53

約束を守るからスムーズに通信できる

通信プロトコルは、ネットワーク上で通信を行うための取り決め（約束ごと）である。仕様や仕組みの異なる機器同士でも、共通の通信プロトコルを守ることで通信できる。Webを閲覧するためのHTTP、電子メール送信のためのSMTP（エスエムティーピー）などがある。

通信プロトコルには、イーサネットや無線LANなど物理的な接続のためのものから、IP（アイピー）などネットワーク上の経路を決めるためのもの、TCP（ティーシーピー）などデータを宛先まで確実かつ効率よく届けるためのもの、HTTPやSMTPなど各種のアプリケーションを利用できるようにするものなど、多くの種類がある。通信プロトコルは、レベル（物理的なレベルのプロトコル、アプリケーションのレベルのプロトコルなど）に

よって階層化され、それぞれの通信プロトコルが役割を分担することで効率化を図っている。

インターネット上の通信では、通信プロトコルを4つの階層に分けたTCP/IPを利用する。TCP/IPに従うことで、どんなコンピュータでもインターネット上で情報をやり取りすることができる。プロトコルは、元来、外交の世界で言葉や慣習が異なる人同士が交流する上で定められた手順や形式などを指す。

KEYWORD

通信プロトコル／イーサネット／無線 LAN ／ IP ／ TCP ／ HTTP ／ SMTP ／ TCP/IP

アイピー

IPアドレス

通信相手を特定するための番号

インターネットなどのネットワーク上でコンピュータ同士が通信を行う際は、互いを特定するためにIPアドレス（番号）を使う。IPアドレスが重複すると正しい宛先と通信を行うことができなくなるので、基本的にIPアドレスに同じものは存在しない。

IPアドレスは、インターネットを含めたネットワークに機器を接続するときに必要となる。パソコンやスマートフォンだけではなく、家電やゲーム機などもインターネットにつなげて使うときに、IPアドレスが必要になる。通常は、ネットワークに接続する都度プロバイダやルータなどにより割り当てられるので、一般のユーザがIPアドレスを意識することはない。

IPアドレスには、バージョン4（IPv4）とバージョン6（IPv6）がある。従来から利用されているIPv4の場合、アドレスは192.168.0.5のように10進数0～255の範囲の整数4つをドット（ . ）で区切って並べたものである。コンピュータでは2進数しか扱えないので、その場合は2進数（0または1）で32桁の数字となる。IPv6は、IPv4を改良した仕組みで作られた規格であり、2進数では128桁あり、使えるアドレスの数も圧倒的に多い。

KEYWORD

IPアドレス／インターネット／ネットワーク／通信／ IPv4 ／ IPv6

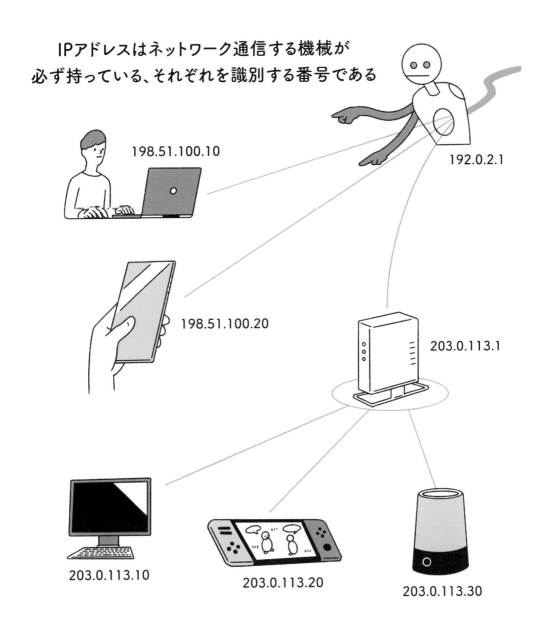

IPアドレスはネットワーク通信する機械が
必ず持っている、それぞれを識別する番号である

198.51.100.10

192.0.2.1

198.51.100.20

203.0.113.1

203.0.113.10

203.0.113.20

203.0.113.30

ドメイン名

ネット上の住所をわかりやすくしたもの

example.co.jpのような文字列をドメイン名という。ドメイン名は、IPアドレスの代わりにインターネット上の宛先を管理するために使われる名前である。ドメイン名は国や組織などの属性ごとにドメイン（空間）を区切って管理されている。

IPアドレスは、ネットワーク上の機器を特定するために使われるが、数字だけの並びのため人間には扱いづらい。そこで、人間が扱いやすいように、英単語などを使用したドメイン名をIPアドレスに対応させ、IPアドレスの代わりに使うようになった。たとえばexample.co.jpだと、「jpという国のcoという地域にいるexampleさん」のように読み取ることができる。ドメイン名は、人間から見てインターネット上で宛先を特定するための「住所」である。

ドメイン名は階層構造で管理されている。ルートを頂点としてトップレベルドメイン（comやjpなど）、セカンドレベルドメイン（coやgoなど）、第3レベルドメイン、のように空間（ドメイン）を順に区切っている。トップレベルドメインには、comやgovのように組織の種類を表すもの、jp（日本）やfr（フランス）のように国や地域を表すものが存在する。

KEYWORD

ドメイン名／ドメイン／トップレベルドメイン／セカンドレベルドメイン／第3レベルドメイン

kyoto.jp
日本の京都

animal.cn
中国の動物

water.com
商用の水

（comは商用目的とされていたが
一般的なドメインとして広く使われている）

arch.fr
フランスの建築

town.ukcity.gb
イギリスの街

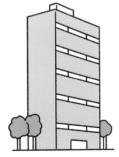

president.co.jp
株式会社プレジデント社

food.de
ドイツの食べ物

speech.gov
政府の演説

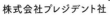

ルーティング

最適なルートでデータを送り届ける

インターネットは、無数のネットワークがつながり合いできている。ネットワークからネットワークへデータを中継・転送する装置がルータで、データが正しい宛先に届けられるように最適な経路を割り出す。これをルーティング（経路選択）という。

インターネットでは、目的のコンピュータにデータを送るために、宛先情報としてIPアドレスを使用する。ルータはデータを受け取ると、宛先のIPアドレスを見て、隣接するルータのうちどのルータにデータを転送すれば目的のコンピュータに届けられるかどうかを判断する。ルータからルータへ次々と転送されることで、データは最終的に目的のコンピュータへと届けられる。

ルータは、転送先を判断するためにルーティングテーブル（経路表）を参照する。ルーティングテーブルには、宛先のIPアドレス（通常は宛先のネットワークが指定されている）と転送するルータの対応などが記載されている。たとえば、宛先IPアドレスが198.51.100.16のデータはルータAに転送、198.51.100.32のデータはルータBに転送、のように経路が記載されている。

KEYWORD
ルーティング／ルータ／IPアドレス／ルーティングテーブル

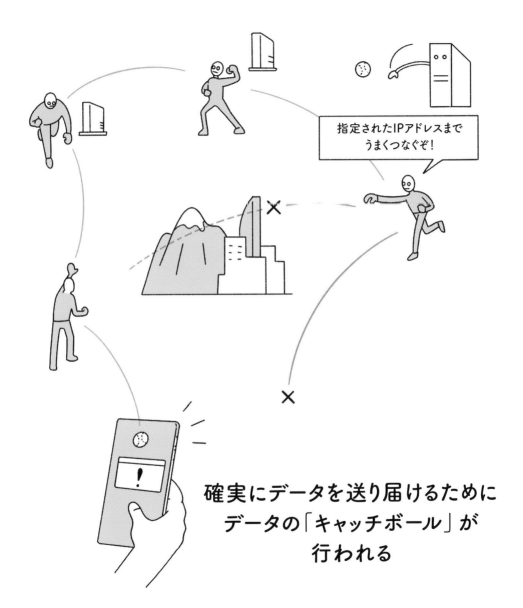

確実にデータを送り届けるために
データの「キャッチボール」が
行われる

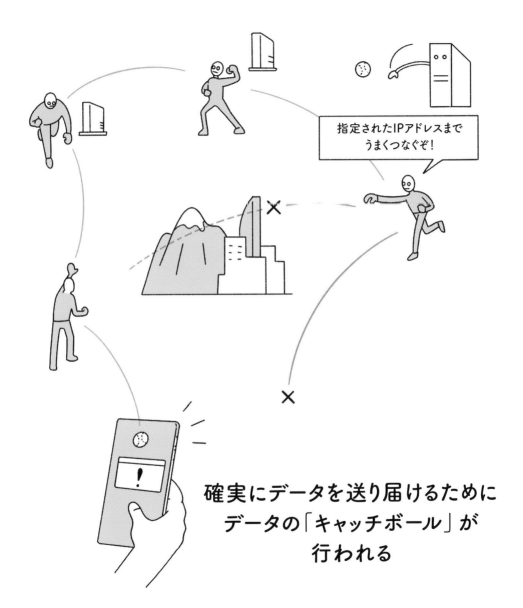
指定されたIPアドレスまで
うまくつなぐぞ!

Cookie
クッキー

訪問者の素性を見分けるための仕組み

Webページの閲覧時、Webサーバが発行し、閲覧したパソコンなどの端末内に保存されるのが、Cookieというデータである。同じ端末で同じWebサイトに再度アクセスすると、WebサーバはCookieを見て、認証作業の省略や表示の変更などを行う。

Webページの閲覧時には、Webブラウザが Webサーバに対してコンテンツをリクエスト（要求）し、WebサーバがWebブラウザに対してレスポンス（応答）を返すという形で通信を行う。WebブラウザではWebサイトから受け取ったコンテンツを整形し、画面上に表示する。

Cookieは、Webサーバが発行してWebブラウザ側に保存される情報であり、再度同じWebサーバへリクエストを行うときに一緒に送り返される。Webサーバでは送り返されたCookieの情報に合わせてカスタマイズしたコンテンツをWebブラウザに送る。

Cookieにより、前回の閲覧時に設定した状態でのWebページの表示や、ネットショッピングで中断した買い物の続き、ログインの操作の簡略化などが可能になる。

一方で、Cookieによりアクセス履歴を参照され、不要な広告が表示されることもある。

KEYWORD
Cookie ／ Webサーバ／コンテンツ／リクエスト／レスポンス／ Webブラウザ／アクセス履歴

サイバー攻撃

ITの世界を舞台に展開される犯罪行為

サイバー攻撃とは、ネットワークを介して対象のコンピュータやシステムに侵入し、破壊や改ざん、データの窃取などを行うことである。特定の組織や個人が標的にされることもあれば、不特定多数を無差別に狙う攻撃もある。

サイバー攻撃の手口は様々で、近年では特定の攻撃対象を計画的に狙う標的型攻撃、マルウェアに感染したコンピュータを「人質」に金銭を要求するランサムウェアなどの被害事例が増えている。ソフトウェアの設計にセキュリティにかかわる欠陥（セキュリティホールや脆弱性という）があり、この部分を突いた攻撃が行われることもある。

攻撃者の多くは、コンピュータやネットワークなどITに関する高度な技術や知識を持つ「ハッカー」である。このため、ハッカーは攻撃者を指す言葉として使われることがあるが、サイバー攻撃から組織などを守るために能力を活用するハッカーもいる。いわば「正義の味方」であるハッカーは、ホワイトハッカーと呼ばれる。ホワイトハッカーに対し、攻撃を行うハッカーをブラックハッカーやクラッカーと呼ぶこともある。

KEYWORD

サイバー攻撃／マルウェア／セキュリティホール／ホワイトハッカー／ブラックハッカー／クラッカー

サイバー空間で
繰り広げられる
新たな闘い

ハッキング

あなたのアカウント、狙われています

他人のアカウントなどに不正にアクセスする行為をハッキングという。悪意を持つ者は、アカウントへのアクセスを制限する認証情報を狙って攻撃を行う。一度アカウントへのハッキングを許すと、意図しない買い物をされたり個人情報を盗まれたりする。

インターネット上のサービスなどは、アカウントごとにアクセスできる人を制限してセキュリティを保っている。アクセス制限には多くの場合、IDとパスワードを利用している。悪意を持つ者は様々な手口を使ってIDとパスワードを盗み出し、ハッキングを試みようとする。

フィッシングという詐欺の手口が使われることもある。フィッシングでは、偽のWebサイト（実在するWebサイトに似せたものなど）を用意しておき、電子メールなどのリンクからターゲットを誘導、パスワードなどの重要情報を入力させて盗み出す。また、キーロガーは、キーボードの入力を記録して重要情報を盗み出す。

技術的な手口を利用しない、ソーシャルエンジニアリングという手法もある。これは関係者になりすまして電話をかける、メモを盗み出す、操作中の画面を後ろから盗み見るなど、人の心の隙を狙っていることが特徴である。

KEYWORD
アカウント／ハッキング／セキュリティ／パスワード／フィッシング／キーロガー／ソーシャルエンジニアリング

様々な形でハッキングは行われる

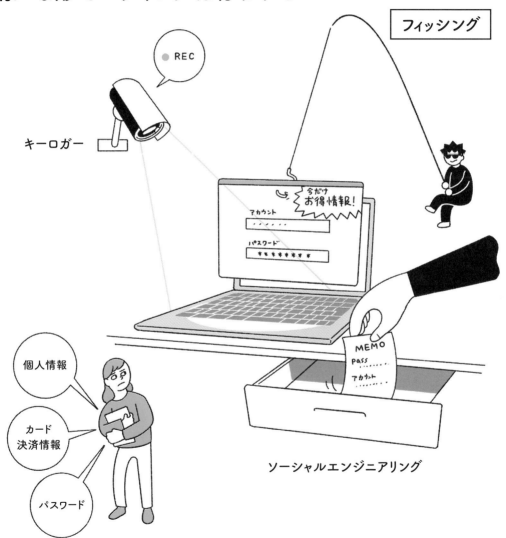

ソーシャルエンジニアリング

マルウェア

悪意を持ったソフトウェア

コンピュータに何らかの被害をもたらすことを目的として作られたプログラムを総称してマルウェアという。コンピュータに意図しない動作をさせるものや、コンピュータ内の情報の窃取や改ざん、破壊をするものなど、様々な振る舞いを行う。

マルウェア（malware）とは、「悪意のあるソフトウェア」のことである。マルウェアには、電子メールの添付ファイルやダウンロードファイルを開いて感染させるものや、Webサイトを閲覧しただけで感染させるものもある。

マルウェアは、その振る舞いにより様々な呼び名が付けられている。自然界のウイルスのようにファイルに感染して不正に働き、さらに感染を広げるウイルス、ファイルに寄生せず自己増殖するワーム、一見問題のないプログラムに見せかけて潜入し不正を働くトロイの木馬などがある。コンピュータのOSに潜み（コンピュータへの）バックドア（裏口）を作るタイプもある。

コンピュータを操作不能にして「身代金」を要求するランサムウェアや、オンラインバンキングの取引を狙うタイプ、仮想通貨の採掘（マイニング）を不正に行わせるタイプも登場し、年々種類は増え、攻撃手段も巧妙化している。

KEYWORD

マルウェア／ウイルス／ワーム／トロイの木馬／バックドア／ランサムウェア／オンラインバンキング／マイニング

マルウェアには、様々な種類がある

ランサムウェア

マルウェアの中には、
バックドアを使って
コンピュータに
侵入するものもある

ウイルス

バックドア
（裏口）

ワーム

ルートキット

OS

トロイの木馬

133

暗号化

鍵をかけて内容がわからないようにする技術

特定の計算手順で、元のデータの内容がわからないように変換することを暗号化という。暗号化したデータを元のデータに戻すことを復号という。暗号化と復号を行うために鍵と呼ばれる情報を使う。暗号化には、共通鍵暗号方式と公開鍵暗号方式がある。

デジタルデータには、個人情報、企業の機密情報など重要な情報が多く含まれている。これらの情報を守るための仕組みの1つが、暗号化である。インターネット上などで暗号化したデータが盗まれても、鍵さえ盗まれなければ第三者はデータの内容を知ることができない。

共通鍵暗号は、暗号化と復号の両方に同じ鍵を利用する方式である。データを送る側は何らかの方法で相手に暗号化に使った鍵を渡し、受け取った側は鍵を使い暗号化したデータを元に戻す。

公開鍵暗号は、公開鍵と秘密鍵を用意し、一方を暗号化、もう一方を復号に使う方式である。公開鍵は誰に渡してもよい鍵だが、秘密鍵は持ち主以外の誰にも知られてはならない鍵である。データを送る側は受け取る側の公開鍵を使い暗号化してからデータを送る。受け取った側は秘密鍵を使い暗号化したデータを元に戻す。

暗号化／復号／鍵／共通鍵暗号方式／公開鍵暗号方式／個人情報／企業の機密情報／公開鍵／秘密鍵

「鍵」を使って
中身が分からないように
データを変換する（暗号化）

一対の鍵を使う

「鍵」を使って暗号化された
データを元に戻す（復号）

暗号化された
データを盗んでも
「鍵」がないと中身を
見ることができない

ハッシュ関数

データの改ざんを防ぐ仕組み

ハッシュ関数は、ある値を入力値として与えると、これをもとに一定の手順で計算を行い、規則性がなく、決まった長さの値を出力する関数のこと。入力値が少しでも異なると出力値が変わることから、ブロックチェーンや電子署名などに利用されている。

ハッシュ関数で出力された値のことをハッシュ値という。ハッシュ関数には様々な種類があり、ハッシュ関数の種類によって128ビット（16バイト）や256ビット（32バイト）など、ハッシュ値の長さが決まっている（ASCIIの場合、16バイトは英数記号16文字分）。

サイズが大きいデータに改ざん（内容の書き換え）や破損があるかどうかを調べたいとき、ハッシュ値を出力し、元のデータから出力して

おいたハッシュ値と見比べることで、改ざんされたかどうかを確かめることができる。

ハッシュ関数はブロックチェーンや電子署名などにも利用され、このためのハッシュ関数は、安全性が高いものである必要がある。ハッシュ関数では、ハッシュ値から元のデータを推測したり復元したりできない。同じハッシュ値を出力する別のデータを見つけることが難しいという性質を持っている。

KEYWORD

ハッシュ関数／ブロックチェーン／電子署名／改ざん／ハッシュ値／出力値／入力値

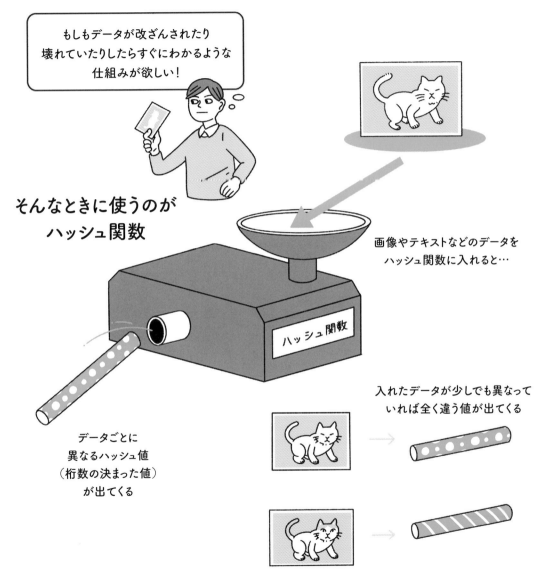

もしもデータが改ざんされたり
壊れていたりしたらすぐにわかるような
仕組みが欲しい！

そんなときに使うのが
ハッシュ関数

画像やテキストなどのデータを
ハッシュ関数に入れると…

入れたデータが少しでも異なって
いれば全く違う値が出てくる

データごとに
異なるハッシュ値
（桁数の決まった値）
が出てくる

ファイアウォール

ネット上の不正侵入をブロックする防火壁

現実の世界で本来入れない場所に不正侵入して悪さをしようとする者がいるように、コンピュータやネットワークにも、本来利用する権限のない者が、悪意を持ち不正アクセスを行うことがある。外部からの不正アクセスを防ぐ仕組みがファイアウォールだ。

インターネットに接続しているLAN（家庭や会社内に作られる小規模のネットワーク）に、悪意のある者が不正アクセスを試みることがある。一度不正アクセスされると情報の盗聴や改ざん、破壊などが行われ、LAN全体が甚大な損害を被ることになる。こうした不正アクセスを防ぐために、ファイアウォールという「壁」でLANとインターネットを分離し、出入りするデータを監視する。

ファイアウォールは、正常なデータのみを通過させ、不正なデータを発見するとこれを廃棄して被害を防ぐ。ファイアウォールの由来は、建物の「防火壁」から来ている。

パソコンや家庭内のLANなどへの不正アクセスを防ぐためのセキュリティソフトは、パーソナルファイアウォールという。たとえばWindows 10には、Windows Defenderファイアウォールが標準搭載されている。

KEYWORD
不正アクセス／ファイアウォール／セキュリティソフト／パーソナルファイアウォール

悪意のある攻撃から
情報やネットワークを守る
ファイアウォール

第 **3** 章

テクノロジーと
社会

テクノロジーは、社会の仕組みを大きく変革させる巨大な可能性を持っている。
GAFAの台頭は世界の情勢を大きく変え、
シェアリングエコノミーは新たなビジネスモデルとして成功しつつある。
テレワークを利用すると時間と空間を有効に使うことができる。
本章では、テクノロジーと社会との関わりについて紹介する。

情報システム

ITなしでは成り立たない社会

コンピュータを利用して情報をやり取りする技術をInformation Technology（情報技術）、略してITと呼んでいる。これに通信技術を加えたInformation and Communication Technology（情報通信技術）をICTという。

日常生活の様々な場面で、ITを利用して構築された情報システムが活用されている。

会社の顧客管理システム、販売店の在庫管理システム、1枚あれば電車に乗ることも買い物もできる交通系ICカードのシステム、定額で見たい動画コンテンツが楽しめるVOD（ビデオオンデマンド）サービスの提供システム、道路交通を安全かつスムーズに保つシステム、水道、ガス、電気の安定供給を管理するシステム

などがある。

スマートフォンを使って様々なサービスが利用できるのも、サービスの数だけ情報システムが用意されているからである。ITのおかげで私たちの社会は様々な便益を得ている一方で、ITが使えなくなるとたちまち日常生活が滞るという一面を持っている。

もはやITは、私たちの社会には欠かせない存在になっている。

KEYWORD

情報システム／ IT ／ ICT ／顧客管理システム／在庫管理システム／交通系 IC カード／ VOD サービス

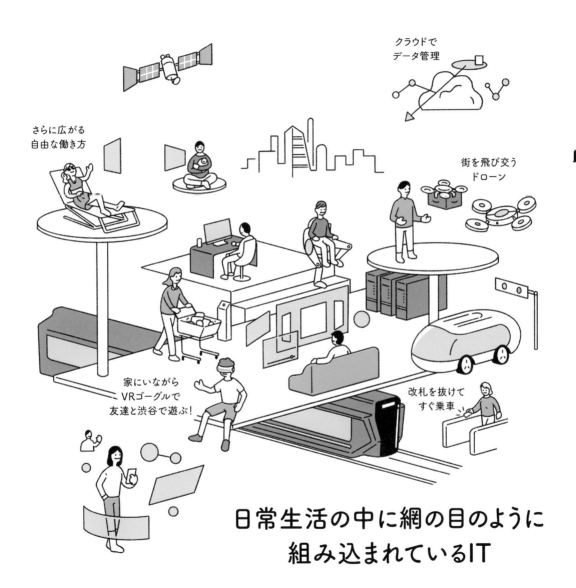

クラウドで
データ管理

さらに広がる
自由な働き方

街を飛び交う
ドローン

家にいながら
VRゴーグルで
友達と渋谷で遊ぶ!

改札を抜けて
すぐ乗車

日常生活の中に網の目のように
組み込まれているIT

モバイルシフト

モバイル端末の普及により引き起こされた変化

IT利用の主役は、据え置きで使用するデスクトップパソコンから、移動しながら利用できるモバイル端末へと大きく変化した。モバイル端末の進化とその浸透で、Webサービスやソフトウェアの開発は、モバイル端末での利用が前提とされるようになった。

モバイル端末（モバイルとも略される）とは、持ち運びながら利用できるスマートフォンやタブレットなどの電子機器のことである。パソコンがないとできなかったことがモバイル端末でもできるようになり、パソコンを持たずにスマートフォンのみを所有する人が増えた。GPSやセンサーで取得した情報を活用することで、モバイルにしかできないことも増えている。これに伴い企業の経済活動や消費者の行動に、モバイルでの利用を前提とする、モバイルシフトと呼ばれる変化が生じている。

モバイルシフトの流れの1つが、モバイル利用を優先しようという考え方のモバイルファーストである。以前はパソコンでの利用を前提とした開発が優先され、モバイル用は二の次だったが、モバイルファーストで、パソコン版とモバイル版が同時に開発され、スマートフォン用のアプリが先行して開発されるようになった。

KEYWORD

デスクトップパソコン／モバイル端末／スマートフォン／タブレット／モバイルシフト／モバイルファースト

モバイルシフトは
仕事の流れも変えていく

通勤中に今日の
プレゼンのための
資料をクラウド上で確認

資料の間違いを発見。
その場で修正して取引先にも
あらかじめ共有しておく

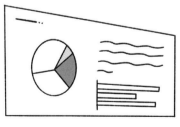

トラブルを回避して、
スムーズに
プレゼンは成功！

GAFA
ガーファ

IT業界の中の四天王

米国に本拠地を置く巨大IT系企業の中でも、とくに成長著しいGoogle（グーグル）、Apple（アップル）、Facebook（フェイスブック）、Amazon（アマゾン）の4社は、ひとくくりにされてGAFAという造語で呼ばれる。4社はそれぞれの分野で圧倒的なシェアを誇り、社会的な影響力も大きい。

iPhoneを常に持ち歩き、Googleで調べ物を行い、Facebookで友達と交流し、Amazonで買い物を行う。すべてが当てはまらなくても、このうちのいくつかの行動に覚えがあるのではないだろうか。このように、GAFAの提供する商品やサービスは、人々が社会生活を送るうえで必要なインフラとなっている。こうした社会的な基盤を提供することから、GAFAはプラットフォーム企業やプラットフォーマーとも呼ばれる。

GAFAは、無料のサービスや便利なサービスを人々に提供する一方で、それらのサービスを通して、膨大な個人情報を取得している。取得した個人情報を事業に活用し、さらなる利益を生んでいるが、独占的であることやプライバシー保護などの観点からGAFAを規制しようという動きも生まれている。GAFAの後を追う企業も複数あり、これらも着実に成長している。

KEYWORD

Google／Apple／Facebook／Amazon／GAFA／プラットフォーム企業／プラットフォーマー

21世紀の新しい世界の財閥企業

「検索と広告の貴公子」
Google

「端末の覇者」
Apple

「流通王」
Amazon

「SNSのカリスマ」
Facebook

Netflix

GAFA

Microsoft

Tencent

せめぎあう
新たな勢力…

Alibaba

etc…

STEM、STEAM
ステム　　スティーム

未来に役立つ人材を教育する

Science（科学）、Technology（技術）、Engineering（工学）、Mathematics（数学）の頭文字を並べた造語。IT系人材の育成に役立つ理数系の学問である。米国の教育現場から生まれた。STEMにArt（芸術）を加えたSTEAMという言葉もある。

　理数系のSTEMに重点を置いた教育が、注目を集めている。近年、ITなど理数系分野のテクノロジーの発展がめざましく、その重要性が増していることが背景にあり、今後もこれらの分野の人材の需要が高いことが予想されている。STEMに創造的な分野であるArt（芸術）を加えたSTEAMを教育の重点分野とする考え方もある。

　日本では、2018年6月に文部科学省と経済産業省がSTEAM教育の必要性について提言した。Artはデザイン・芸術だけではなく、人文科学、社会科学のいわゆる文系を表す言葉として使われている。

　STEAMに重点を置きながら基礎的な学力を身につける中で、問題を解決する能力や想像力、創造力を高めていくことをテーマとしている。文系・理系の知識を総合的に活用する力が求められている。

KEYWORD

科学／技術／工学／数学／IT系人材／ STEM ／ STEAM ／芸術／想像力／創造力

STEAM教育の時代が到来

Science（科学）

Technology（技術）

Art（芸術・人文科学・社会科学など）

Engineering（工学）

Mathematics（数学）

$a^2 + b^2 = c^2$

$S = 4\pi r^2$

$V = \frac{4}{3}\pi r^3$

$(x+y)(x-y)$

$2\ 3\ 5\ 7\ 11\ 13...$

$y = ax^2 + bx + c$

ガラパゴス化
日本では凄いモノ、世界でははぐれモノ

技術やサービスなどが、ある市場において独自の方向性で発展・発達した結果、世界市場における競争力を持たない状態になることをガラパゴス化という。ガラパゴス諸島の生態系が他の地域の影響を受けずに独自の進化を遂げたことになぞらえている。

2000年代、日本製の携帯電話には、国内の市場競争に打ち勝つために新しい機能やサービスが次々に搭載され、独自に進化した。日本独自の機能には、ワンセグ、着メロ、おサイフケータイ、赤外線通信、絵文字などがあり、高性能の携帯電話が次々と生まれた。

しかしながら、この進化は世界市場におけるニーズにそぐわず、日本製携帯電話はグローバルなシェアを獲得することができなかった。このように、日本市場だけで通用する進化を遂げた携帯電話を、ガラパゴス諸島の生態系になぞらえて、ガラパゴス携帯、略してガラケーと呼ぶようになった。

これを受けて、工業製品、規格、生活習慣などが、世界の主流から外れたり、世界標準に乗り遅れたりして、その国独自の製品や規格ばかりになる状態のことをガラパゴス化というようになっている。

KEYWORD

ガラパゴス化／ガラパゴス諸島／ガラパゴス携帯／ガラケー／着メロ／ワンセグ／おサイフケータイ

ガラパゴス諸島で
独自の進化を遂げた生物たち

ガラパゴスリクイグアナ

ガラパゴスゾウガメ

アオアシカツオドリ

ガラパゴス諸島の生物たちのように
独自の進化を遂げた日本の携帯電話
＝ガラパゴス携帯略してガラケー

10:27

好きな歌などをダウンロードして
着信音にする「着メロ」

ガラケー専用の
ブラウザ

ワンセグ
おサイフケータイ
etc…

スマートフォンに
受け継がれていった機能もある

デジタルディバイド

使える人、使えない人の間に生じる格差

ITにより様々な恩恵を受けられるようになった一方で、ITを利用できる人と利用できない人の間に経済的・社会的な格差が生じることがある。これをデジタルディバイドという。格差が生じる原因は、経済力や環境、ITスキルなど様々である。

ITの恩恵を受けるには、ITを使いこなすためのスキルや高性能コンピュータの購入費、インターネットへ高速にアクセスできる環境などが必要である。次々と変化していく技術やサービスに付いていくには、学習意欲や学習能力も不可欠となる。スキルや購入費がない、インターネット接続環境が不十分、学習意欲に欠けているといった事情により、ITを利用できれば受けられるはずだった恩恵が受けられない。そ

こで格差が生じることになる。

デジタルネイティブといわれる若者と、デジタル機器に付いていくことができない高齢者のような、世代による格差もあれば、インターネット接続環境が整った都会在住者と、整っていない地方在住者の間の格差もある。

インターネットによる情報収集能力により就職の機会に差があり、結果的に収入格差が生じた、といったことも起きている。

KEYWORD

デジタルディバイド／経済的・社会的格差／デジタルネイティブ／インターネット接続環境／情報収集能力

いろいろな情報がすぐに手に入る現代、しかし情報は平等ではない

SNS

エスエヌエス

コミュニケーションの手段はこんなに変わった

SNSは、社会的なつながり（Social Network）を築くためのインターネット上のプラットフォームである。SNSでつながった仲間と情報を共有することで交流を図ることができる。代表的なSNSにFacebook、Twitter、Instagram、LINEなどがある。

友人・知人に連絡をとるため、また日常の出来事や自分の考えを伝えるために、手紙、電話、電子メールに代わりSNSを利用することは、当たり前のように行われている。企業や店舗が広告宣伝などの情報発信を行うためのツールとしてもSNSは使われている。

実名登録を前提とするFacebookは、近況の投稿、「いいね」機能、コメントの書き込みなど、様々な情報共有の仕組みを取り入れている

だけでなく、プロフィールに登録した情報をもとに実世界の友人や知人を探すこともできる。

Twitterは、短い文をつぶやくように投稿することが特徴で、リツイート機能により情報が伝播しやすい。#を頭に付けたハッシュタグを使うと、検索などを容易に行うことができる。

Instagramは画像投稿、LINEは無料通話やチャットというメッセージ交換を特徴とするなど、それぞれ得意とする領域は異なる。

KEYWORD

SNS ／ Facebook ／ Twitter ／ Instagram ／ LINE ／電子メール／リツイート／画像投稿／無料通話／チャット

SNSを使ってコミュニケーションを行うことが一般的になってきている

SNSを利用していない人も一定数存在する

ネットショッピング

社会に浸透しているネット上の買い物

ネットショッピングを利用すると、店舗に足を運ぶことなく買い物ができる。商品の種類が豊富で、価格を比較しながら選択できることもメリットである。一方で、代金を支払っても商品が届かない、偽物が届いた、といったトラブルが生じることもある。

ショッピングサイトには様々な形態がある。Amazonのように幅広い分野の商品やサービスを販売するサイトもあれば、ZOZOTOWNのように特定分野の商品やサービスを販売するサイトもある。楽天市場やYahoo!ショッピングのように、運営企業がオンラインショップに販売スペースを提供するモール型のサイトもある。モール型では、ショッピングカートなどの決済機能や顧客の好みなどがわかるマーケティング機能もあわせて提供されるため、出店のハードルが低くなる。

ネットショッピングでは、実店舗では手に入れることが難しいニッチな商品、レアな商品を入手できることがある。その一方で、詐欺目的の悪徳業者が出店していることもある。また、口コミやレビューは商品を購入するための参考になるが、高評価のものの中には「やらせレビュー」といわれる業者が捏造したものも存在する。

KEYWORD

ネットショッピング／ Amazon ／ ZOZOTOWN ／楽天市場／ Yahoo! ショッピング／オンラインショップ

ネット上でいろいろなものを
購入することが可能になった

ネットオークション

いらないものの売り買いが簡単にできる

個人が不用品などを販売できる場として、ネットオークションやフリマアプリが登場した。ネットオークションは最も高い金額を提示した人が品物を競り落とす。近年、人気の高いフリマアプリは、出品者が定額を付け、欲しい人は早い者勝ちで購入する。

ネットオークションやフリマアプリは、インターネット上における電子商取引（EC：Electronic Commerce）の一形態である。

1999年にネットオークションのヤフオク！サービスが開始されたが、当初は個人間の取引（C2C、CはCustomer）が主体であった。現在では企業なども出品し、企業対個人の取引（B2C、BはBusiness）の場にもなっている。

2013年にフリマアプリのメルカリがスマートフォン用のアプリとして登場した。売りたいモノをスマートフォンのカメラで撮影して出品するという手軽さが特徴である。

ネットオークション、フリマアプリは個人間の取引が可能だが、トラブルがあった場合は基本的に当事者同士で解決する必要がある。出品者のなりすまし、偽ブランド品や盗品のような違法商品の出品、人気商品や品薄商品の高額転売なども問題になっているので注意が必要である。

KEYWORD
ネットオークション／フリマアプリ／ EC ／ヤフオク！／ C2C ／ B2C ／メルカリ

ネットを使えば、不要なものを
お金に換えることができる

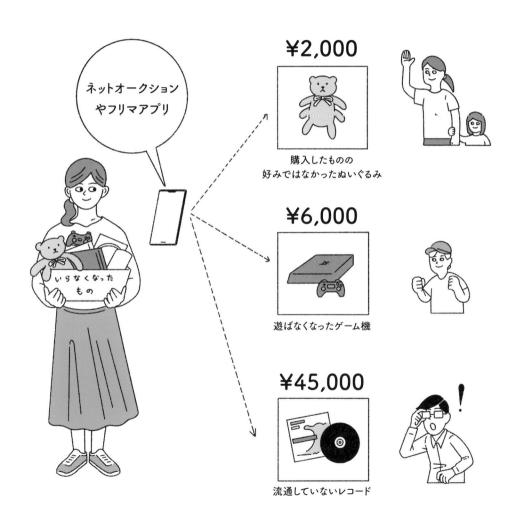

ネットオークション
やフリマアプリ

いらなくなった
もの

¥2,000

購入したものの
好みではなかったぬいぐるみ

¥6,000

遊ばなくなったゲーム機

¥45,000

流通していないレコード

シェアリングエコノミー

あらゆるモノ・コトが貸し借りの対象に

インターネットを利用し、自分の所有物を見知らぬ他人に使ってもらって対価を得る仕組みをシェアリングエコノミーという。シェアリングエコノミーのサービスには、民泊サービスのAirbnb、ライドシェアリングサービスのUberなどがある。

空間や移動手段、モノやスキルなど様々なものがシェア（共有）されている。

シェアリングエコノミーでは、サービス事業者により、「貸したい人」と「借りたい人」の両者のマッチングを仲介するアプリやWebが提供される。

空間をシェアするサービスには、民泊がある。

移動手段をシェアするサービスには、自動車のカーシェアやライドシェア、自転車のシェアサイクルがある。Uber Eatsのように隙間時間に自転車で料理をデリバリーするサービスもある。

洋服レンタルなどのモノ、家事代行のようなスキルもシェアされる。

シェアリングサービスでは多くの場合、利用者同士で直接金銭のやり取りは行わず、決済手段をサービス事業者が提供することでトラブルを防いでいる。

KEYWORD
シェアリングエコノミー／Airbnb／Uber／民泊／カーシェア／ライドシェア／シェアサイクル

たまに体を
動かしたい

週末だけ
利用したい！

サイクリングが
趣味

平日の通勤に

買い物に

もしものときに

日中、仕事用に
使いたい

所有することで発生する
維持費や駐車場代の問題を
解決するための新しい手段

アールエフアイディー

RFID

意外なところで使われているITの仕組み

RFID（Radio Frequency IDentifier）とは、無線電波を使ってタグに埋め込まれた情報を読み書きする技術やシステムのこと。非接触で使用できるので、情報の読み取り機に、ICチップなどを内蔵したタグを近づけるだけで、情報がやり取りできる。

RFIDの利用例の1つが、交通系ICカードのSuicaである。改札機のリーダー部分にカードをかざすだけで検札ができる。製造、物流、販売での物品管理にもRFIDは利用されている。

Felicaのような非接触型のICカードは、広い意味ではRFIDの一種である。タグに電池を内蔵するタイプをアクティブ型、内蔵しないタイプをパッシブ型といい、パッシブ型はリーダーからの電磁波を動力源にする。

同じようにリーダーによる読み取りを行う技術にバーコードがある。

バーコードは1つ1つをリーダーで読み取る必要があるが、RFIDは汚れに強く、無線電波が届く範囲（通常は数cm〜数m）であれば読み取りが可能なので、複数のタグの一括読み取りや、梱包された状態での読み取りもできる。また、タグには大量の情報を持たせることができ、情報の書き込みを行うこともできる。

KEYWORD

PFID／リーダー／ICチップ／アクティブ型／パッシブ型／バーコード／RFIDタグ

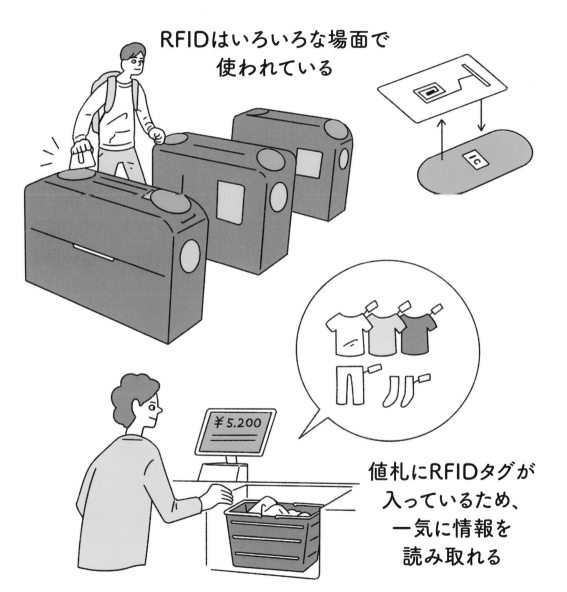

RFIDはいろいろな場面で
使われている

値札にRFIDタグが
入っているため、
一気に情報を
読み取れる

¥5,200

IoT
アイオーティー

インターネットにつながるモノが増えていく

Internet of Thingsを略したIoTとは、直訳すると「モノのインターネット」。様々なモノがネットワークにつながることで、モノとモノ、モノと人間、モノとクラウドの情報交換が可能になり、新たな付加価値を生み出すことができるようになる。

センサー技術やネットワーク技術が進化し、いろいろなデバイス（装置）をインターネット（を中心としたネットワーク）につなげて利用できるようになった。デバイスに搭載されたセンサーやカメラが取得したデータをネットワーク経由で収集し、そのデータを解析して様々なことに役立てることができる。

人間やデバイスの状態を分析したり、最適環境を割り出したり、行動を予測したりと、その活用方法は様々である。離れた場所からデバイスの動作を制御できるのも、IoTの特徴である。

たとえば、エアコンや冷蔵庫、ロボット掃除機のような家電では、稼働状態を解析して結果を人に知らせたり、外出先で電源のオン・オフなどの指令を与えたりすることもできる。

自動車をパソコンやスマートフォンのような情報端末として活用するコネクテッドカーも、IoTの一例である。

KEYWORD

IoT ／クラウド／デバイス／ロボット掃除機／センサー／カメラ／コネクテッドカー

IoTは、産業も生活も大きく変える

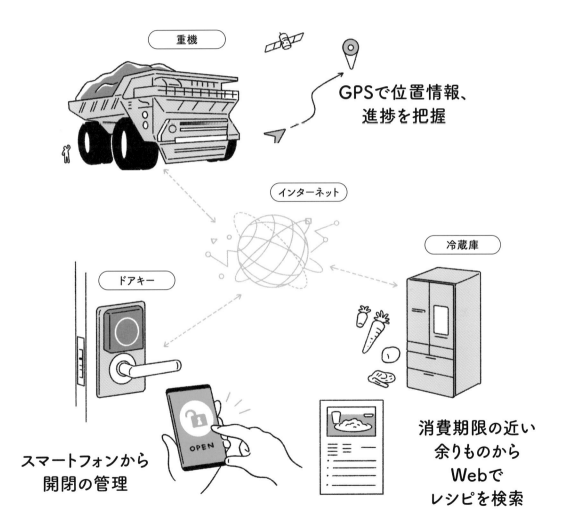

重機

GPSで位置情報、
進捗を把握

インターネット

冷蔵庫

ドアキー

スマートフォンから
開閉の管理

消費期限の近い
余りものから
Webで
レシピを検索

WORD
76

エルビーダブリューエー　　　　　ファイブジー

LPWA、5G

IoTを支える新しい通信技術

IoTの普及が進むと、インターネットを含めたネットワークに接続するデバイスの数はますます増えていく。無数の小型デバイスが少量のデータを送受信するIoTの無線通信方式として注目されるのが、低消費電力で長距離通信が可能な通信方式（LPWA）だ。

IoTでは、大量の機器がそれぞれ少量ずつデータを通信する。デバイスの多くは小型で電源の有無に左右されないバッテリー駆動で、利用形態によっては通信距離が数kmになることもある。このようなIoTの通信に適した特長を持つ通信方式がLPWA（Low Power Wide Area）である。デバイスの電池を数年以上交換が不要なほどの低消費電力（Low Power）で、数百mから数kmの長距離通信が可能（Wide Area）、

かつ低コストである。

LTEやLTE-Advancedなどの4G（第4世代移動通信システム、GはGenerationの略）に続く次世代通信方式として登場したのが、5G（第5世代移動通信システム）である。超高速、信頼性が高くて低遅延、大量のデバイスが同時に通信可能で今後の普及が期待されている。

5Gは様々なサービスへの利用、中でもIoTネットワークへの利用が期待されている。

KEYWORD

IoT／LPWA／低消費電力／長距離通信／通信方式／5G／LTE／LTE-Advanced／4G

様々な通信技術が、出現している

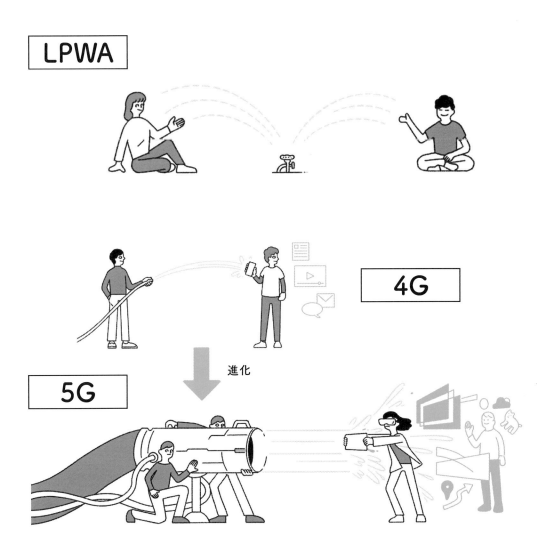

LPWA

4G

5G

進化

ドローン

「人の代わりに空を飛ぶ」小型の無人飛行機

リモコンにより人が遠隔操作して飛行する小型の無人飛行機をドローンという。事前に組み込まれたプログラミングに従って自律飛行するドローンもある。カメラを搭載したドローンによる空撮を始め、様々な用途に利用されている。

ドローンはもともと無人攻撃機や無人偵察機などの軍事目的で開発された。一般にドローンといえば、複数のプロペラを持つマルチコプター（ヘリコプターの一種で複数の回転翼を持つ）タイプが多いが、荷物が運べるような大型のドローン、竹とんぼ型の超小型ドローンなど、様々な形状のドローンが利用されている。

飛行のために超音波センサー、気圧センサー、ジャイロスコープ、GPS、レクテナ（アンテナの一種）、AIなどの技術が使われている。ドローンをスマートフォンで操作する場合は、Wi-FiやBluetoothで接続する。

ドローンには、人間には難しい作業を代わりに行うことが期待されている。空撮、農薬や肥料の空中散布、危険な場所にある設備や建物の点検などに利用されるだけでなく、将来の本格的な実用化に向けたドローン宅配便の実証実験も行われている。娯楽目的のドローンも多い。

KEYWORD

ドローン／超音波センサー／気圧センサー／ジャイロスコープ／レクテナ／ドローン宅配便

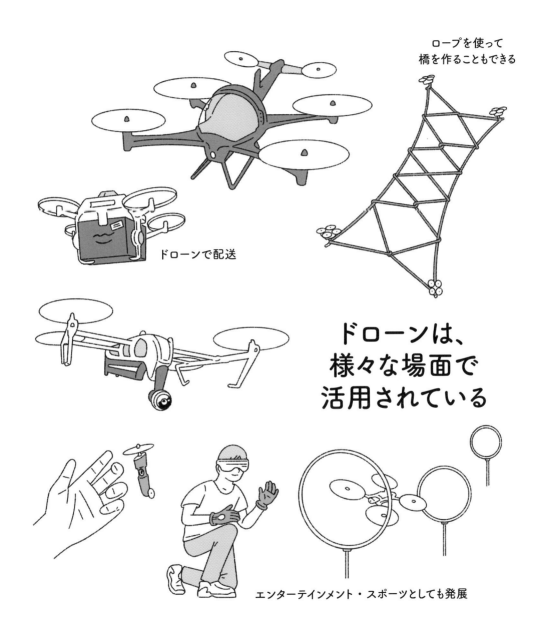

ロープを使って
橋を作ることもできる

ドローンで配送

ドローンは、
様々な場面で
活用されている

エンターテインメント・スポーツとしても発展

3Dプリンタ
3次元の物体を「プリント」する機械

家庭やオフィスで利用されるプリンタは、印刷用紙などに平面の画像などを印刷する。平面とは、縦×横の2次元（2D）のことである。これに対して3Dプリンタは、文字通り3次元のものを印刷する。つまり縦×横×高さのある3次元の物体を形成していく。

通常のプリンタは液状のインクを使用するが、3Dプリンタはインクの代わりにヘッドから樹脂をごく薄く吐き出し、紫外線を当てるなどして樹脂を硬化させ、形を作っていく。熱を使って樹脂を立体的に造形したり、レーザー光で粉末を焼いて形作ったり、様々な方式が実用化されている。

3Dプリンタのメリットの1つが、一般の工作機では困難であった中空構造（内部に空洞がある構造）が製作できるようになったことである。

金型が必要ないために少量生産や個別生産にも対応できることや、工作設備が小規模で済むこともメリットである。

活用例として、たとえば医療分野における人工骨や義歯などの造形があげられる。人によって形が異なり、精密さが要求されることから、従来の加工技術では難しかったことを、3Dプリンタにより実現することが期待されている。

KEYWORD

3Dプリンタ／3次元／インク／ヘッド／樹脂／造形／レーザー光／中空構造／金型／少量生産／個別生産

世界を一新させる3Dプリンタのインパクト

家だって作れる

食品や部品、
失ってしまった体の一部も…

サービスロボット

AI技術を取り入れて賢く働くロボット

製造業に利用されるロボットを産業用ロボットといい、対してサービス業で人間のために従事するロボットをサービスロボットという。進化するAI（人工知能）技術を取り入れ、人との会話や自律走行が可能なロボットが開発、実用化されている。

サービスロボットとは、家庭や介護施設、商業ビル、公共の場所など、人間がいるところで様々なサービスに従事するロボットのことである。

ビルの警備や案内、ホテルの受付、介護施設での介護補助などを行い、人との会話が可能なコミュニケーション機能、自律走行や物体の運搬機能などを持つことが特徴である。状況の変化に柔軟に対応できるように、センサーを使って人間の言葉や物の状態を認識し、AIを使っ

て最適な動作を判断する。

SF作家のアイザック・アシモフは、作品の中で、人間社会においてロボットが従うべき3つの原則を示している。①人間に危害を加えない、②人間の命令に服従する、③上記2原則に反しない限り自己を守る、である。これらの考え方は「ロボット工学3原則」として、ロボットの開発においても重要視されている。

KEYWORD

産業用ロボット／サービスロボット／センサー／アイザック・アシモフ／ロボット工学3原則

ロボットの存在を身近に感じることができる社会になる

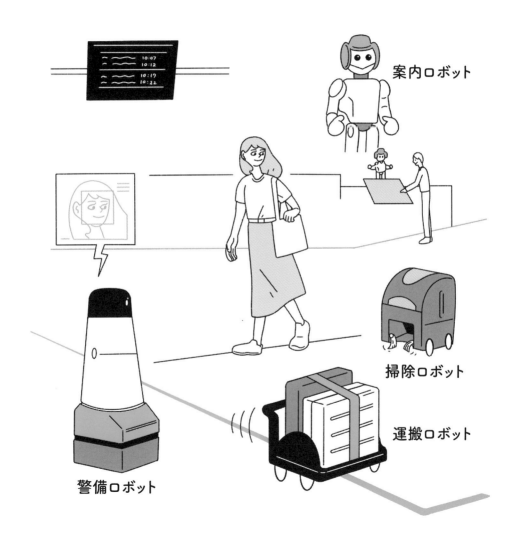

案内ロボット

掃除ロボット

運搬ロボット

警備ロボット

テレワーク

ITが進める働き方の進化形

ITを利用し、時間や場所の制約を受けず柔軟に働く形態のこと。テレワークという働き方は以前からあったが、ネットワークやモバイルなどの環境が整ったこと、少子高齢化対策やワークライフバランスの実現などを目的に実施する企業が増えている。

テレワークとは、「離れたところ」を表すテレ（tele）と「働く」を表すワーク（work）をあわせた造語である。在宅勤務はもちろん、顧客先や移動中にモバイル端末を使って働くこともテレワークである。本社などから離れた場所にワークスペースを設けるサテライトオフィスで働くという選択もある。

テレワークの利用により、妊娠や育児、介護などが理由で一時的に出社できなくなった人が継続して働けるようになったり、通勤にかかる時間の節約や顧客への迅速な対応が可能になったりするなど、様々な効果が期待されている。

一方で導入に向けては、労働時間の管理や勤務評価をどのように行うか、通信費や光熱費などの経費負担に取り決めが必要など、明確にしておくべきポイントがいくつかある。新型コロナウイルス（COVID-19）の影響で、とくに大企業においてはテレワークの導入が相当進んだ。

KEYWORD

テレワーク／ネットワーク／モバイル／ワークライフバランス／サテライトオフィス／COVID-19

遠く離れた自宅から

海外でも

テレビ会議もテレワークも、
ITが進化させた働き方の1つ

RPA

ルーティンワークを自動化する

Robotic Process Automation（RPA）は、ロボットにより定型業務を自動化・効率化する仕組みである。工場の産業用ロボットがブルーカラーの手作業を代替するのに対し、RPAはホワイトカラーがコンピュータで行う作業を、ソフトウェアで代替する。

コンピュータを利用するホワイトカラーの業務は、一定の手順通りに行う作業、形式の決まっている書類の作成などの定型業務が多い。Excelなどが備えるマクロ機能を使って作業を自動化することもできるが、一定のワークフロー（業務手順）に従って複数のアプリケーションを使用する作業を自動化するとなると、アプリケーションを横断して動くプログラムが必要になる。

RPAは、コンピュータ上の一連の操作をソフトウェア型のロボットに覚えさせることで作業を自動化・効率化する。

RPAには、プログラミングなどの知識がなくても利用できる専用のツールが利用されている。ITの詳しい知識がない人でも操作しやすいGUI（Graphical User Interface）が採用されていることが多いので、幅広い業種や職種に導入できる。

KEYWORD

PRA ／定型業務／ Excel ／マクロ機能／ワークフロー／ GUI

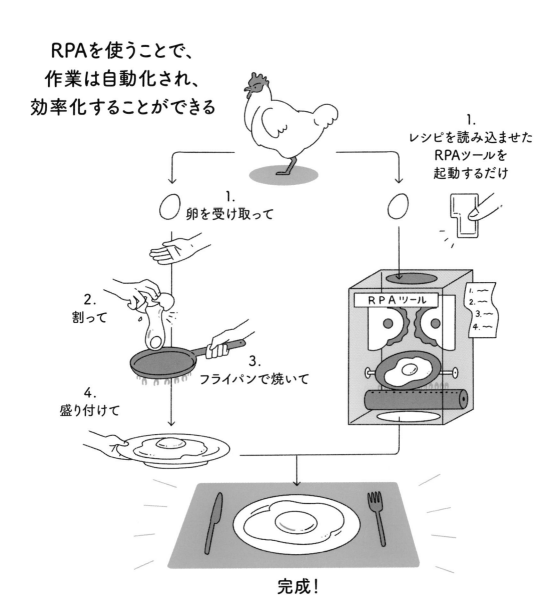

RPAを使うことで、
作業は自動化され、
効率化することができる

1.
レシピを読み込ませた
RPAツールを
起動するだけ

1.
卵を受け取って

2.
割って

3.
フライパンで焼いて

4.
盛り付けて

ＲＰＡツール

完成！

テクノロジーと
AI

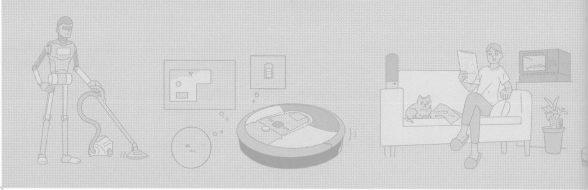

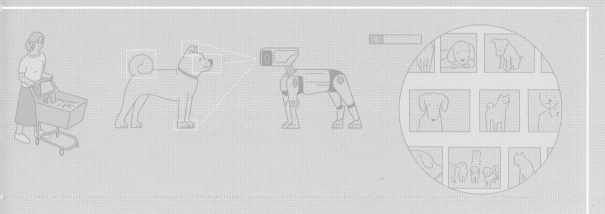

人間社会の変革を大きく促すのが、AI（人工知能）の存在だ。
ビッグデータやディープラーニングがAIの実用化を進め、
AI家電やロボットなど、AIの活躍の場はますます広がっている。
空想の世界だけに登場した人型ロボットも少しずつ現実に近づいている。
本章では、近年発達が目覚ましいAIについて紹介する。

シンギュラリティ

テクノロジーが無限大の速度で進化し始めるとき

AI（人工知能）を始めとするテクノロジーの進化が急速に進んでいくと、人類の能力では予測不可能なスピードで進化し始める時点を迎える。この時点をテクノロジカルシンギュラリティ（技術的特異点）、あるいは単にシンギュラリティという。

シンギュラリティ（特異点）とは、数学や物理学の世界で使われる言葉で、ある基準において、その基準が適用できない点を指す。たとえば、「重力の特異点」とは重力場が無限大となるような場所のことである。

米国の未来学者レイ・カーツワイルは、2005年に発表した著書『The Singularity is Near』（日本語版『ポスト・ヒューマン誕生』）の中で、無限大のスピードでテクノロジーが進化し始めるテクノロジカルシンギュラリティ（技術的特異点）が、2045年に到来すると予測した。

近年、AI（人工知能）が第3次ブームを迎え、ディープラーニングが実用化されたことにより、「AIの能力が人間の知能を超える可能性」について取り上げられることが増えてきた。これとともにシンギュラリティにも注目が集まっているが、実現の可能性については懐疑的な意見も多い。

KEYWORD

AI／テクノロジカルシンギュラリティ／シンギュラリティ／レイ・カーツワイル／ディープラーニング

AIが人間を超える日は、
来るのか？

ビッグデータ

日々発生する膨大な量の情報の使い道

インターネットやコンピュータの利用により、膨大な量の情報が日々発生している。コンピュータを始めとした各種技術の発達により、以前は捨てられていた情報を解析することが可能になり、これらの膨大な量の情報をビッグデータというようになった。

ビッグデータの概念が生まれるまでは、データ分析の中心はデータベースだった。データベースは整理されたデータで、構築のためにはそれなりのコスト（労力や時間）が必要となる。

SNSの投稿内容、Webサイトやブログの情報などの日々蓄積される膨大なデータは整理が難しく分析することが不可能だったが、コンピュータの性能が向上し解析が可能になった。この解析により、それまで発見されていなかった関係性や傾向、パターンが見つかり、それらをもとに新たな価値が創造されている。今後IoTの普及が進むと、センサーなどが生み出すデータによりビッグデータはさらに蓄積される。

ビッグデータの特徴を表す3つのVがある。Volume（量）があること、Variety（多様性）があること、Velocity（入出力や処理速度）が速いこと。いずれか1つ（あるいは複数）の値がきわめて高いものが、ビッグデータである。

KEYWORD

ビッグデータ／データベース／ Webサイト／ブログ／ IoT ／センサー

ビッグデータの使い方次第で 巨大なビジネス需要が生まれてくる

［データベース］

Q.カレーは好きですか？

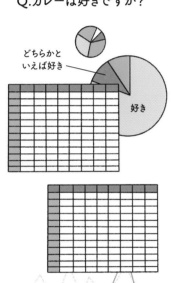

どちらかと
いえば好き

好き

一世帯あたりのカレーの消費量

［ビッグデータ］

4593-
8495-
3002

30代女性

○月○日××時××分

にんじん
豚肉
キャベツ
カレールウ
マヨネーズ
冷凍からあげ…

今週二度目
の来店

移動速度

¥5,637

……

AI（人工知能）

エーアイ

第3次ブームで花開いたAIは何ができるのか

Artificial Intelligence（人工知能）、略してAIは、人間の知的な活動を、人間に代わってコンピュータに行わせようとする技術やその研究を行うことである。1950年代から研究が活発になり、以来ブームと冬の時代を繰り返し、現在は第3次ブームにある。

アーティフィシャル　インテリジェンス

最初にAI研究のブーム（第1次AIブーム）が起きたのは、1956年に米国のダートマス大学で開かれた、AIを表題とする学術会議からである。第2次ブームは、エキスパートシステムが実用化された80年代。ブームが起きては研究の成果や技術的な限界から下火となった。

2000年代に始まった現在の第3次ブームは、コンピュータやネットワークなどIT技術の飛躍的な発展、ビッグデータの普及や機械学習の実用化、ディープラーニングの実現などが背景にある。12年には、GoogleのAIが、人間に「猫」の特徴を教えられることなく、自らが学習すること（ディープラーニング）で大量の画像から「猫」を認識し、分類することができた。16年にはAlphaGoが韓国のプロ囲碁棋士と勝負して勝利。画像認識、ゲームなどにおける推論、自然言語処理における文章の理解や音声の理解など、AIは様々な分野で活用されている。

アルファゴ

KEYWORD

人工知能／AIブーム／ダートマス大学／Google／AlphaGo／画像認識／推論／自然言語処理

人間と同じように考えるAIとは、どのようなものだろうか

ディープラーニング

AIの成長を急速に進化させた理由

現在のAIの特徴は、機械学習とディープラーニングである。機械学習は、人間の学習と同じような機能をコンピュータ上で実現したもの。ディープラーニングは機械学習の一分野で、人間の脳神経の仕組みをモデル化したニューラルネットワークを使う。

機械学習とは、コンピュータ自身が学習し、大量のデータを解析しながらルールを獲得・発見する手法である。より多くのデータを処理すればするほど、精度が向上していく。

ディープラーニング（深層学習）は、機械学習をさらに発展させたものである。機械学習は画像を見て「犬」と判断するための特徴（耳や顔の形、しっぽの形状、体の大きさなど）を人間が示す必要があるが、ディープラーニングでは「犬」の特徴自体をコンピュータ自らが発見して判断する。そのために利用されるのが、ニューラルネットワークである。

ニューラルネットワークは、人間の脳の神経細胞（ニューロン）のネットワーク構造をモデル化している。情報伝達のために作られる接合部分をシナプスといい、シナプスは学習により結合の強さが変化する。これにより、最適な解（答え）を得ることができる。

KEYWORD

機械学習／ディープラーニング／ニューラルネットワーク／ニューロン／シナプス

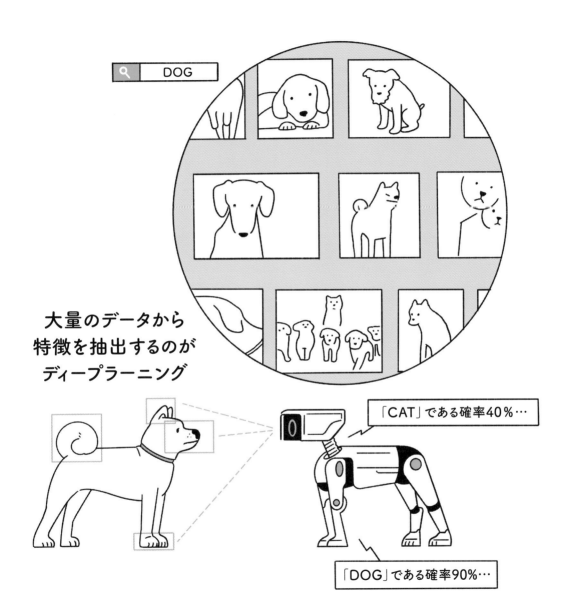

AI家電

エーアイ

WORD 86

私たちに身近なAI商品といえばこれ

一般の利用者にとって身近なAIの実用例がAI家電やAIスピーカーである。AIを搭載したAI家電は、利用者の状況を学習し自ら動作を調整する。AIスピーカーは、声だけで操作可能なコンピュータで、AIアシスタントが会話内容を理解し対応を決定する。

特定の分野において能力を発揮するAIを特化型AIという。2016年に韓国のプロ囲碁棋士に勝利したGoogleのAI「AlphaGo」も特化型AIである。特化型AIはすでに実用化され、その例がAI家電やAIスピーカーである。

AI家電の例の1つが、ロボット掃除機である。センサーで得た情報をもとに家の中の位置関係や床の状態を把握し、最適な掃除方法を決定する。AI搭載エアコンは、利用パターンや室内の温度、湿度などから、利用者が快適と感じるように運転を切り替える。

AIスピーカーはスマートスピーカーともいい、AIアシスタントが認識した音声に従って検索や音楽の再生、照明や家電の制御などを行う。AIスピーカーのAmazon Echoには、AlexaというエコーアレクサAIアシスタントが搭載されていて、音声のやり取りによりAmazonでショッピングすることもできる。

KEYWORD

AI家電／AIスピーカー／AIアシスタント／AI搭載エアコン／スマートスピーカー／Amazon Echo／Alexa

AI家電の登場により、快適さは増していく

AI搭載ロボット

さらに進化が進むAI製品の未来

複雑な構造で自動的に動くロボットにAI機能を搭載すると、自律的に考えて動くことができるようになる。「人間のような」ロボットは難しいが、「人間のように考えて動く」ロボットの研究開発は進み、様々な形態のAI搭載ロボットが登場している。

　介護や運搬、監視、接客など様々な分野でAI搭載ロボットが実用化され、人間が行う業務の一部を担っている。実現に向けて研究開発が進む自動運転車では、人間が行う「自動車の運転」をAIの自動制御が代行する。広い意味では、自動運転車もロボットである。

　特定の分野において能力を発揮するAIを特化型AIというのに対し、人間のように、幅広い分野で自ら課題を発見し、自律的に学習するAIを汎用型AIという。映画やマンガの世界に登場し、人間の危機を救ってくれるような賢いロボット（人間にとって手ごわい敵となって登場することもある）は、汎用型AIを搭載したロボットの一例である。

　現在実現しているAI搭載ロボットのAIは特化型である。汎用型AIの研究は行われているものの実現の可能性が見えていない。それでも遠い未来の実現に向けて一歩ずつ進んでいる。

KEYWORD
AI機能／AI搭載ロボット／自動運転車／自動制御／特化型AI／汎用型AI

ボット

カラダを持たないロボットとして働くソフトウェア

単純な繰り返し作業は、人間が行うと手間と時間がかかる。こうした単純作業をインターネット上で人間の代わりに、しかも高速で行ってくれるのがボットというソフトウェアである。実体（機械）のないロボットであることから、ボットと略される。

ボットは、インターネット上で自動的に動くアプリケーションやプログラムの総称である。クローラーやチャットボットのように商用目的に利用されるボットもある一方で、マルウェアの一種として不正行為を働くボットもある。

インターネット上のWebサイトから欲しい情報だけを収集するボットは、クローラーやスパイダーと呼ばれる。Googleなどの検索システムなどが利用している。

チャットボットは、人間のように振るまい、文字による会話を行うボットで、カスタマーサポートやヘルプデスクに利用される。人間が決めたルールに従って、会話の相手である人間の入力内容からキーワードを抜き出し、それに対する回答をデータベースから選ぶ。AI（人工知能）を導入し、より自然な会話に近づけたチャットボットもある。AIスピーカーは、チャットボットの会話を音声で行うことができる。

KEYWORD
ボット／クローラー／チャットボット／マルウェア／スパイダー／カスタマーサポート／ヘルプデスク

日常生活において、大活躍しているロボット

毎日「今日の天気」の検索結果を
SNSに投稿するボットを作ったぞ

親切に毎日天気を
教えてくれる人がいるな…

7/2　今日の天気

7/3　今日の天気

7/4　今日の天気

7/5　今日の天気

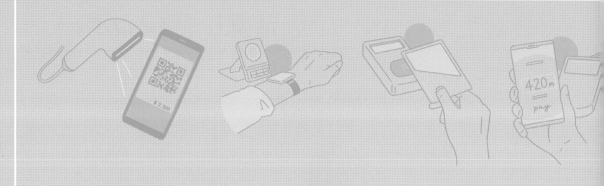

第 5 章

テクノロジーと金融

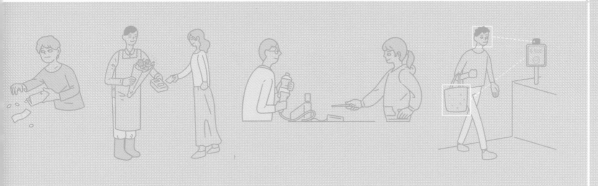

テクノロジーは、様々な分野や業界でも活用されている。
その1つが「お金」を扱う金融である。
電子マネーは現金の代わりに日常的に利用され、
コンビニの支払いをスマートフォンで済ますことができる。
従来の通貨と異なる仮想通貨も流通している。
本章では、テクノロジーと金融の関わりについて紹介する。

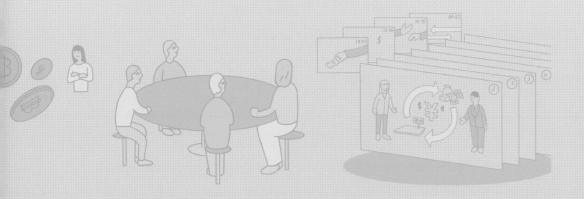

フィンテック

ファイナンス × テクノロジー

フィンテック（FinTech）は、金融（Finance）をテクノロジー（Technology）と結び付けた造語。銀行、保険、証券などの金融サービスにITをとり入れることで、新しいアイデアが生まれ、さらに革新的な商品やサービスが生まれている。

テック（Tech）とは、Technology（技術）の略である。近年、ITを中心としたテクノロジーを様々な分野に活用させる動きが活発化している。フィンテックはその流れの1つである。

フィンテックの登場により、既存の金融機関以外に多くの新しい事業者が金融分野に参入するようになり、利用者から見て「手数料が安い」「手続きが早い」「手軽に利用できて便利」な商品やサービスが、次々と生まれている。

身近な例では、パソコンやスマートフォン上の手続きのみで決済や送金が可能になるサービス、家計や資産状況を一元管理する家計簿アプリ、個人投資をAIが手助けするロボアドバイザーと呼ばれるサービス、インターネット上で資金援助を募るクラウドファンディングなどがある。

ブロックチェーンを利用した仮想通貨の取引もフィンテックの1つである。

KEYWORD

フィンテック／金融／テクノロジー／ロボアドバイザー／クラウドファンディング／ブロックチェーン

金融の世界にも、テクノロジーは
どんどん進出している

キャッシュレス決済

現金を使わないという選択

キャッシュレス決済とは文字通り、現金を使わないで代金を支払うことである。クレジットカード決済、電子マネー、QRコード決済などがある。北欧や中国などキャッシュレス決済が普及したキャッシュレス先進国と比べ、日本はまだ現金信仰が根強い。

キャッシュレス決済により、消費者は現金を持ち歩く必要がなくなり、事業者側にも現金を管理する必要がなくなるといったメリットがある。キャッシュレス先進国の中国では、偽札の横行という問題があり、現金を受け付けない店舗もある。一方、日本では、政府が政策によりキャッシュレス化を推進してはいるものの、キャッシュレス決済に不安を感じる人がまだ多く、普及が進まない要因となっている。

以前から利用されていたクレジットカード決済や銀行振込、プリペイドカードも広い意味においてキャッシュレス決済ではあるが、ITの仕組みを活用したICカードやスマートフォンを利用した電子マネーのサービスが、数多く登場している。

最近では、バーコードやQRコードを使ってスマートフォンのみで決済が行えるコード決済の普及が注目されている。

KEYWORD

キャッシュレス決済／クレジットカード決済／電子マネー／QRコード決済／キャッシュレス先進国／コード決済

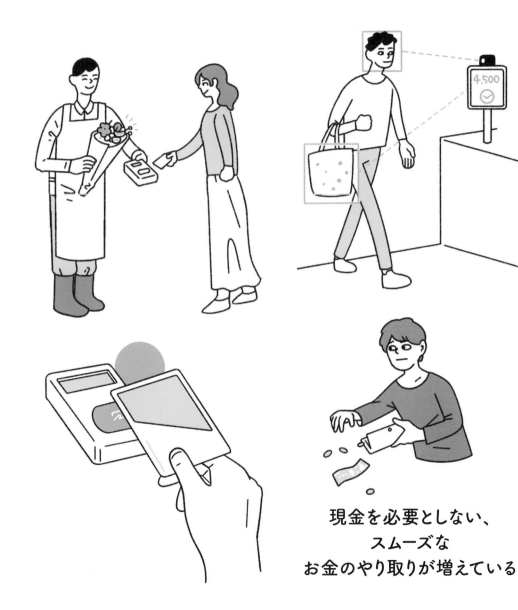

現金を必要としない、
スムーズな
お金のやり取りが増えている

電子マネー

現金に代わる新しいお金のカタチ

電子マネーとは「電子的な情報」でやり取りされるお金で、現在は交通系ICカードや流通系ICカードなどICカード方式の電子マネーの利用が増えている。電子マネーは記録が残ることから、企業側にはマーケティングなどに活用できるメリットがある。

ICカード方式の電子マネーの主流は、前もって金額をチャージしておくプリペイド方式である。カードに埋め込まれたICチップ（超小型のコンピュータのようなもの）が、残高情報の記録や、計算を行って残高の書き換えなどを行う。記録された情報は暗号化されているので容易に書き換えを行うことはできない。

電子マネーは、鉄道事業者や小売流通事業者を中心に多くの事業者が発行している。利用者は、発行事業者から現金などと引き換えに電子マネーを手に入れる（実際にはICカードなどに記録される）。鉄道事業者が発行する交通系電子マネーには、Suica、PASMO、ICOCAなど、小売流通事業者が発行する流通系電子マネーには、nanaco、Edyなどがある。

ICカード方式の電子マネーの利用には、ICチップの情報を読み取るICカードリーダーが必要である。

KEYWORD

電子マネー／ICカード／ICチップ／Suica／PASMO／ICOCA／nanaco／Edy／ICカードリーダー

モバイル決済

スマートフォンだけで支払える仕組み

モバイル端末を財布代わりに使用するモバイル決済の利用が広がっている。決済機能を始め、ポイントカード、会員証、クーポンなどのサービスを、ひとまとめにして提供するアプリもある。店舗とのやり取りには、FeliCa（フェリカ）やQRコードが使用される。

モバイル決済（モバイルウォレットということもある）の決済手段には前払いと後払いがある。前払いの場合はクレジットカードなどからあらかじめアプリにチャージしておき、チャージした金額内で支払いを行う。後払いの場合はクレジットカードをアプリに設定し、決済後にクレジットカードから代金が引き落とされる。

決済手段にFeliCaというICを利用する場合は、ICカードリーダーにモバイル端末をかざす。このときモバイル端末の電源を入れていなくても、バッテリーさえ残っていれば利用が可能である。

QRコードやバーコードのスキャンによる決済手段は、専用のリーダーが不要なことから店舗での導入が容易で、利用者側もモバイル端末にICが不要というメリットがある。このような決済方式は中国で先行して広まり、日本でもサービスの普及が進んでいる。

KEYWORD
モバイル決済／モバイルウォレット／FeliCa／QRコード／チャージ／クレジットカード／バーコード

モバイル決済は、徐々に社会に浸透してきている

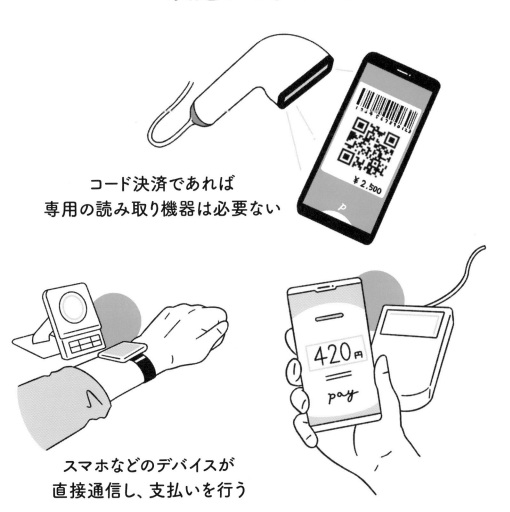

コード決済であれば
専用の読み取り機器は必要ない

¥ 2,500

420円

スマホなどのデバイスが
直接通信し、支払いを行う

仮想通貨（暗号資産）

インターネット上で流通する新たな資産

仮想通貨とは、インターネット上で通貨として流通する電子データである。日本円や米国ドルのように国家により通貨としての価値を保証されていないが、暗号技術などを使って資産は保護される。法定通貨と区別するため法令上は暗号資産と呼ばれる。

仮想通貨（暗号資産）として有名なビットコインは、「サトシ・ナカモト」という人物による論文をもとに2009年に発行された。ビットコインは、ピアツーピア（P2P）方式で通信を行う分散ネットワーク上でデータが管理されている。P2Pは、1対1で通信を行う方式である。取引データは、ネットワークに参加する多数のコンピュータによって検証され、ブロックチェーンという共有の公開台帳に記録される。

取引を行う各ユーザのコンピュータ上でブロックを共有し、管理する仕組みである。取引データが盗まれたり書き換えられたりしないようにするために、暗号技術が使われている。

ビットコイン以外の仮想通貨は多数存在し、アルトコイン（代替のコイン）と呼ばれる。仮想通貨は、特定の国家による価値の保証を受けない通貨だが、法定通貨とも交換でき、法定通貨のように交換、決済、送金などができる。

KEYWORD

仮想通貨／電子データ／暗号技術／法定通貨／暗号資産／サトシ・ナカモト／取引データ／アルトコイン

国家によるお墨付きのない
新しい価値が誕生している

リアルな価値

バーチャルな
価値

ブロックチェーン

ITが支える新しい取引の仕組み

ブロックチェーンとは、ネットワーク上で発生する取引を「ブロック」というかたまりで記録し、ブロックをチェーン（鎖）のように連ねてデータベースとして管理する技術である。仮想通貨のビットコインに使われている技術として注目されている。

　ブロックチェーンでデータの改ざんを防ぐために、ハッシュ関数という技術が使われている。ハッシュ関数は、元の値から規則性のない固定長の値（ハッシュ値という）を生成する関数であり、ハッシュ値から元の値を割り出すことができない性質を持つ。ブロックチェーンでは、後ろのブロックに、前のブロックから得たハッシュ値を一緒に格納しておく。ハッシュ値が異なるブロックは、不正なブロックである。

　データの分散管理も、ブロックチェーンの特徴である。銀行などでは取引データを中央集権的に管理するが、ブロックチェーンでは、すべての取引データを「台帳」に記録し、ネットワークに参加するすべてのコンピュータが、同一の「台帳」を共有する。これにより情報の信頼性が保たれている。ブロックチェーンの最大の特徴は改ざんや複製が困難なことで、金融を始め様々な分野における応用が期待されている。

KEYWORD

ブロックチェーン／仮想通貨／ビットコイン／ハッシュ関数／分散管理／取引データ／台帳

常にみんなで取引の
流れを時系列で
見ることによって
不正を防ぐ

第 6 章

テクノロジーが
変える未来

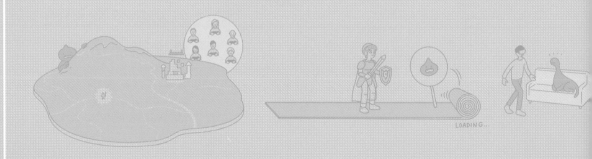

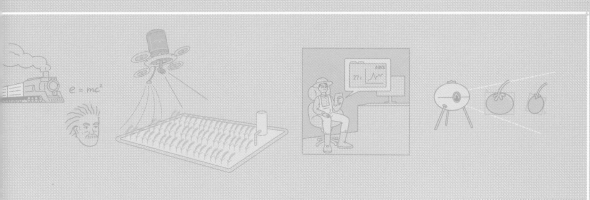

ITを始めとするテクノロジーの浸透は、世界を大きく変えた。
新技術の研究開発は絶えず行われ、
不可能と思われていた未来予想図が現実に近づいている。
VRやARを使って様々な仮想世界を体験できるようになり、
自動運転車が身近に走るようになる日も近い。
本章では、テクノロジーの可能性について紹介する。

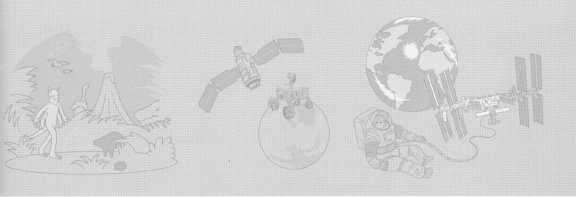

パラダイムシフト

ITの進化とともに社会は変化していく

パラダイムシフトとは、ある時代や分野において当然のことと思われていた常識や思想、価値観が大きく転換すること。現在、クラウドやビッグデータ、IoT、AIなどITを中心としたテクノロジーの進化が、パラダイムシフトを引き起こそうとしている。

パラダイムシフトという言葉は、様々な意味で使用されている。歴史的な転換という意味のパラダイムシフトの例は、18世紀後半に起きた産業革命により産業構造が工業中心へと大きく変わったことである。

コンピュータとインターネットの普及と進化により、それまでの工業社会が、現状のような情報社会へ移行したこともパラダイムシフトの1つといえる。

1995年、Microsoft社のWindows 95の発売をきっかけにコンピュータとインターネットが人々にとって身近なものになった。2007年にApple社が発売したiPhoneの登場をきっかけに、人々の生活がスマートフォン中心になった。AIやロボットの技術進歩により、これまで人間が行ってきた仕事の約半分が自動化されるという予測もある。今後も、様々なパラダイムシフトが起こると予測されている。

KEYWORD

パラダイムシフト／クラウド／ビッグデータ／情報社会／ Windows 95 ／ iPhone

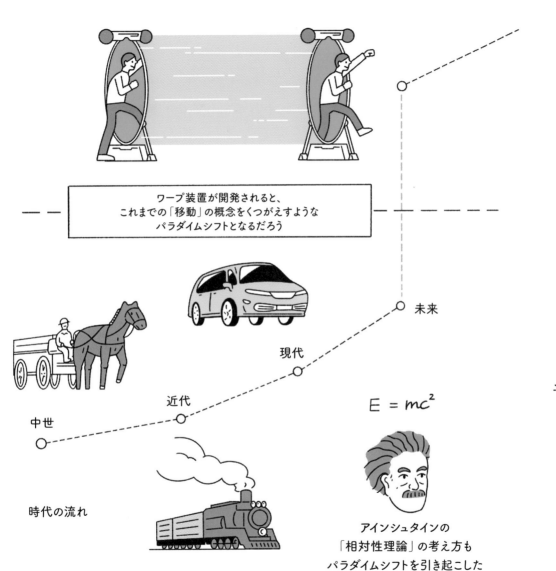

ワープ装置が開発されると、
これまでの「移動」の概念をくつがえすような
パラダイムシフトとなるだろう

未来

現代

近代

中世

時代の流れ

$E = mc^2$

アインシュタインの
「相対性理論」の考え方も
パラダイムシフトを引き起こした

WORD
96

自動運転車
テクノロジーの総力を結集した新しい移動体

自動運転車とは、人間が運転しなくても自動的に走行する自動車のことである。各種センサーやIoT技術を利用し、周囲の状況を読み取る。複雑な状況からアクセル、ブレーキ、ハンドリングなどの操作を自らが判断し、実行するのにAI技術が活用される。

自動運転車の開発競争が進んでいる。自動運転車の実用化と普及により、渋滞が軽減され、事故が減ることや、ドライバーの負担が少なくなることが期待されている。一方で、事故が起きた場合の責任の所在やハッキングによる危険性、「誰かを助けるために他の誰かを犠牲にすることは許されるか」という「トロッコ問題」と呼ばれる議論が存在するなど、実現には多くの課題が残っている。

自動運転車の自動化のレベルは、1～5で定義されている。一部の運転をシステムが支援するレベル1から段階的にシステムが行う操作の割合が増加し、レベル5では運転のすべてをシステムが行う。

一定の条件下で加速・減速やハンドル操作の支援を行うレベル2まで実用化が進み、運転の主体がシステムとなるレベル3の自動運転の実用化は目前に迫っている。

KEYWORD
自動運転車／ハッキング／トロッコ問題／レベル1～5

安全で快適な自動運転車は
いつ実現するのか？

ゲーム、eスポーツ
イー

ITとともに進化するゲームの世界

コンピュータを利用した娯楽の1つがゲームである。コンピュータゲームには、トランプやチェス、将棋など実際のゲームをコンピュータ上で再現したものから、シューティング、ロールプレイング、シミュレーション、スポーツなどその領域は多岐にわたる。

コンピュータの進化とともに、ゲームの形も変化している。コンピュータを搭載したゲーム専用機、SNS上のアプリケーションとして提供されるソーシャルゲーム、スマートフォンのゲームアプリ、オンラインで利用するゲームなど、様々な遊び方ができる。画像を処理する装置（GPU）の高性能化により、ゲームの画質はきめ細かく、動きは滑らかになり、映画のような映像美を描くゲームもある。オンライン上で複数プレーヤーが対戦あるいは協力して遊ぶタイプのゲームは以前から存在したが、通信速度が高速になり、数千人単位の人が同時にゲームに参加して遊ぶことも可能になった。

オンライン上の対戦ゲームの進化形が、eスポーツである。娯楽のためのゲームを一種の競技とみなし、スポンサー企業が高額賞金を提供する大会が世界中で開催されている。億単位の賞金を獲得するプロのプレーヤーもいる。

KEYWORD

ゲーム／ソーシャルゲーム／ゲームアプリ／GPU／通信速度／eスポーツ

億単位の賞金を獲得する
eプレーヤーも出てきている

従来のゲーム

LOADING...

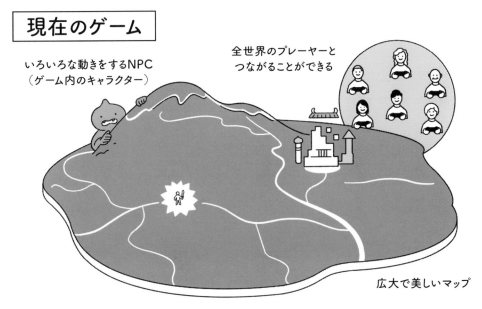

現在のゲーム

いろいろな動きをするNPC
（ゲーム内のキャラクター）

全世界のプレーヤーと
つながることができる

広大で美しいマップ

VR、AR
ブイアール　エーアール

現実にはないのにあるように見える世界

VR（仮想現実）とは、コンピュータが作り出した人工的な世界に、人間が入り込んだかのように感じさせる技術である。これに対して、現実に見えている世界に、コンピュータが作り出した物や景色を重ねて表示させる技術をAR（拡張現実）という。

VRはVirtual Reality（仮想現実）、ARはAugmented Reality（拡張現実）の略語である。

現在は視覚効果や音響効果を利用した仮想空間での体験が主流であり、スマートフォンでも簡単に体験できるようになっている。

VRを使ったゲームでは、ヘッドマウントディスプレイを装着すると、視覚にゲームの中の世界を立体的に表現した映像が広がり、顔や体の動きに合わせて映像が変化していく。

スポーツやコンサートイベントなどのライブ配信映像をVRで楽しむサービスも始まっている。

世界中で大ヒットした位置情報ゲームのポケモンGOはARを利用し、カメラで撮っている実映像に、コンピュータで作成したキャラクターなどを合成して人工的な世界を作り出している。家具の配置のシミュレーションや試着にARを活用するサービスもある。

KEYWORD
VR／AR／ヘッドマウントディスプレイ／ライブ配信／ポケモンGO

現実とVR、ARが融合していく世界になる

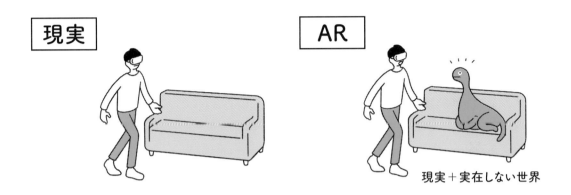

現実

AR

現実＋実在しない世界

VR

実在しない世界

217

スマート農業

ITの力がこれまでの農業を大きく変える

農業では、高齢化などによる労働力不足が問題となっている。ITやロボットなど最新技術を農業に適用し、生産性を飛躍的に発展させようという取り組みがスマート農業である。ロボット、AI、IoT、ドローンなどの新技術が積極的に導入されている。

ITなどのテクノロジーの導入が難しいと思われてきた農業において、先端技術の活用が始まっている。農林水産省が中心となってスマート農業が推進され、農作業の省力・省人化、効率化、農産物の高収量・高品質化と安定化、持続可能な農業の経営などが目指されている。農業（Agriculture）とテクノロジー（Technology）を結び付けたアグリテック（AgriTech）やスマートアグリは、同じ意味で使われる。

たとえば、収穫期には、野菜や果物などが収穫可能かどうか、といった作物の状態を人の目で確かめて判断する必要がある。これをAIの画像認識などを使って学習させることにより、ロボットに作業を代替させることができる。

また、ドローンを利用すると、田畑のデータの収集や施肥を行うことができる。人間が乗らずに農作業を行う自動走行トラクターは、実用段階に達している。

KEYWORD
スマート農業／農作業の省力・省人化／持続可能な農業の経営／ドローン／自動走行トラクター

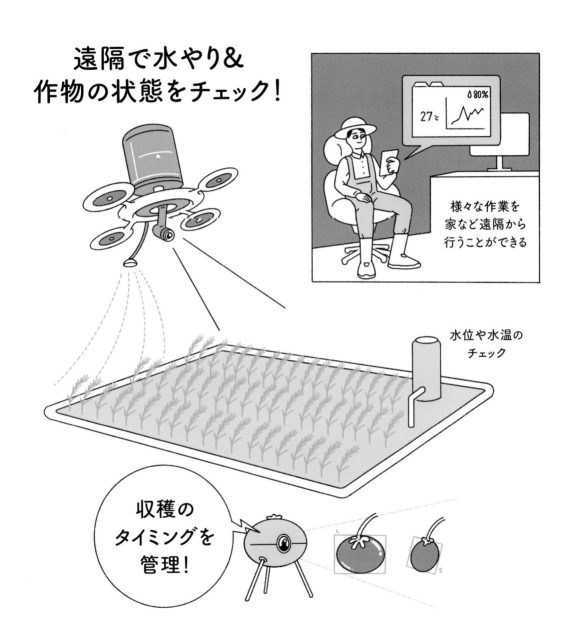

リモートセンシング

宇宙とITのコラボレーション

スパコンによる星の進化の計算、AIによる新惑星の探索など、ITは宇宙研究に多大な貢献をしている。衛星によるリモートセンシングで観測した地球上のデータを解析して産業に利用するなど、宇宙とITのコラボレーションはますます深まっている。

ITは、宇宙と相性が良い。古くは星の構造のシミュレーションにコンピュータが使われ、探査機や宇宙ステーションでは、コンピュータが観測や実験のために活躍している。宇宙の研究においてITの技術は、欠かせないものとなっている。

現在、宇宙は研究だけではなく民間によるビジネスの場ともなりつつある。その動きの1つが、観測センサーを搭載した人工衛星を打ち上げて、宇宙から地球を観測するリモートセンシングである。光センサーで地上の明るさの変化を調べたり、温度センサーで森林の温度を調べたり、地球上の様々な情報を観測することができる。

センサーが収集したデータは、ビッグデータとしてAIを使った解析が行われる。解析されたデータは農林水産業や防災など、幅広い目的に役立てることができる。

KEYWORD

宇宙／リモートセンシング／シミュレーション／観測センサー／人工衛星／光センサー／温度センサー

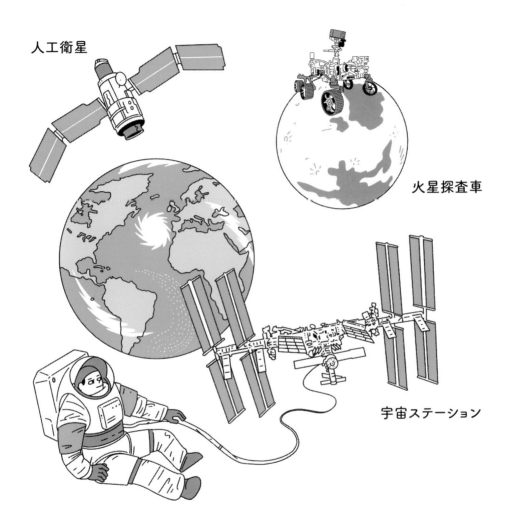

人工衛星

火星探査車

宇宙ステーション

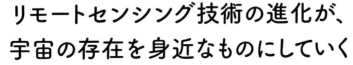

リモートセンシング技術の進化が、
宇宙の存在を身近なものにしていく

INDEX

222

INDEX

INDEX

【監修】
三津田治夫（みつだ・はるお）

メーカー系医療機器販売会社で物流／経営システム開発SEを経て、1995年から出版社でインターネット系月刊誌、メールマガジン／Webマガジンの編集記者、書籍編集者、副編集長として従事し、独立。AI／IoT／プログラミング／能力開発などを中心に書籍を制作。出版実績において社内アワード、業界賞などを受賞。株式会社ツークンフト・ワークス代表取締役。コミュニティ「本とITを研究する会」代表。

【イラスト】
武田侑大（たけだ・ゆきひろ）

1994年生まれ。愛知県出身のイラストレーター。サイエンスやテクノロジーといったテーマを中心に多彩なタッチでイラストを展開し、Webや書籍、雑誌などのイラストを多数手がける。

【文】
岩﨑美苗子（いわさき・みなこ）

教育系出版社にて、知育、英語など家庭学習教材の商品開発を担当。その後、主にIT系書籍を手掛ける有限会社ソレカラ社を足場として著述・編集業に転身。情報処理技術者試験などのIT系資格試験対策書、各種アプリケーションソフト解説書など、多数の書籍、Webコンテンツの企画構成・原稿執筆から、編集・校閲までを行い、現在は同社の代表取締役。課外に、R&B・ポップスシンガー、コーラスとしても活動。

ゼロから理解する
ITテクノロジー図鑑

2020年8月7日 第1刷発行

監修：三津田治夫
発行者：長坂嘉昭
発行所：株式会社プレジデント社
　　　　〒102-8641 東京都千代田区平河町 2-16-1
　　　　平河町森タワー 13F
　　　　https://www.president.co.jp　https://presidentstore.jp
　　　　電話　編集 (03) 3237-3732
　　　　　　　販売 (03) 3237-3731

イラスト：武田侑大
文：岩﨑美苗子
編集：渡邉 崇
販売：桂木栄一　高橋 徹　川井田美景　森田 巌　末吉秀樹
ブックデザイン：成宮 成 (dig)
制作：関 結香
印刷・製本：凸版印刷株式会社